Erich H. Heimann

Cómo renovar
y modernizar cocinas

TIKAL
ediciones

Título original: *Selbst Küchen bauen und modernisieren*
© Compact Verlag GmbH München
© Susaeta Ediciones, S.A.
Tikal Ediciones
Campezo 13 -28022 Madrid
Telf. 913 009 100 - Fax 913 009 118
tikal@susaeta.com

Traducción: Alice Stritt
Diseño de cubierta e interiores: Sarsanedas, Azcunce & Ventura

De un vistazo

Conocimientos básicos

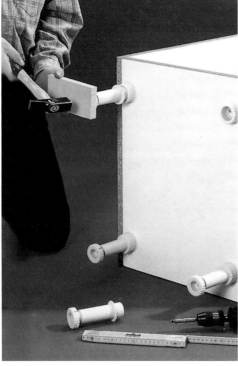

Instrucciones de trabajo

Unas palabras antes de empezar

El bricolaje es una afición que hoy en día se ha convertido en una forma útil de pasar el tiempo libre. Ya se trate de una vivienda alquilada, de una finca antigua o de una casa de propiedad, con un poco de habilidad manual y la ayuda de instrucciones profesionales pueden conseguirse unos atractivos y, muchas veces, sorprendentes resultados en la realización de pequeñas reparaciones, trabajos de embellecimiento, reformas, ampliaciones y remodelaciones. Además, el bricolaje proporciona placer: el placer de poder admirar cada día los frutos del propio trabajo. Y también ayuda a ahorrar dinero, que puede destinarse al cumplimiento de otros deseos acariciados a lo largo de mucho tiempo. Finalmente, ofrece independencia respecto a electricistas, albañiles y fontaneros, tantas veces esperados durante semanas y, a menudo, en vano.

El aficionado al bricolaje puede abastecerse de todas las herramientas y materiales necesarios en las tiendas y grandes superficies especializadas en bricolaje y construcción. Pero no basta sólo con disponer de mucho entusiasmo y de las herramientas adecuadas: una buena preparación y conocimientos profesionales acerca de cómo realizar cada trabajo y de los factores que se deben tener en cuenta son imprescindibles.

Cómo renovar y modernizar cocinas le enseña la forma de proceder a través de consejos y trucos útiles mil veces probados en la práctica. Cada fase de trabajo se explicará paso a paso y se detallará en el texto mediante ilustraciones. Por medio de una serie de símbolos fáciles de entender se muestran el grado de difi-cultad y el esfuerzo y tiempo necesarios para cada trabajo, así como las herramientas más adecuadas y el dinero que puede ahorrarse haciéndolo usted mismo.

Evalúe su capacidad:
Grado de dificultad 1. Trabajos que pueden ser ejecutados incluso por personas sin ningún tipo de experiencia en bricolaje. Sólo requieren un mínimo de habilidades manuales.
Grado de dificultad 2. Trabajos que exigen cierta práctica en el manejo de materiales y herramientas. Requieren unas habilidades manuales medias.
Grado de dificultad 3. Trabajos que requieren amplios conocimientos, mucha práctica y habilidades manuales por encima de la media.
Esfuerzo requerido 1. Trabajos fáciles y sencillos que cualquiera puede ejecutar.
Esfuerzo requerido 2. Trabajos que requieren cierto esfuerzo físico.
Esfuerzo requerido 3. Trabajos adecuados únicamente para personas fuertes que no temen el trabajo duro.

HERRAMIENTAS

GRADO DE DIFICULTAD 0 1 2 3

ESFUERZO REQUERIDO 0 1 2 3

DURACIÓN DEL TRABAJO
(Por ejemplo, 4 horas por metro cuadrado).

AHORRO
(Por ejemplo, 12 € por metro cuadrado).

Renovar como propietario o como inquilino

La forma y los accesorios de la cocina han cambiado fundamentalmente en los últimos 30 años. Si a lo largo de los años 50 la tendencia era de una cocina pequeña, muchas veces en forma de tubo –seguramente debido a la falta de espacio habitable–, la tendencia posterior apunta hacia una cocina más grande con comedor integrado.

Además, poco a poco se han ido introduciendo *aspectos ergonómicos* en la planificación de una cocina.

Las tendencias de la moda, al igual que los cambios acaecidos en el modo de vida, llevaron a la cocina abierta. Al mismo tiempo, se desarrolló la reducción total de la cocina hasta ocupar un espacio de 2 ó 3m^2 en forma de «cocina-armario» para el apartamento de soltero.

La tendencia actual de la cocina ofrece numerosas soluciones individuales, pero en cualquier caso ésta deberá:

• ofrecer suficiente espacio para moverse,
• evitar desplazamientos innecesarios,
• tener un diseño ergonómicamente adecuado y
• cumplir con las exigencias de rentabilidad y protección del medio ambiente en lo que respecta al equipamiento de electrodomésticos.

Alcanzar todos estos objetivos puede ser muy fácil o muy complicado dependiendo de la base de la que se parta. Y en algunas casas no podrá realizarse sin tener que *cambiar la planta* de la cocina o trasladarla a otro espacio.

Las posibilidades abarcan desde una modernización más o menos extensa de la cocina con su equipamiento y mobiliario original hasta el montaje de una completamente nueva, incluyendo la compra de muebles y electrodomésticos.

Con el trabajo propio puede contribuir a ahorrarse gastos, pero también será útil para conseguir, con los mismos medios económicos, una solución considerablemente más elaborada. Al respecto, un dato fundamental es si uno es propietario de la casa o está de inquilino; porque una *modernización* de la cocina puede afectar la *infraestructura* de la casa, desde la *alimentación de la corriente eléctrica* hasta el *aislamiento acústico*, y en caso de modificar la planta incluso puede afectar la *estabilidad* del edificio. Por ello, este tipo de medidas deben ser acordadas con el propietario.

La llamada *modernización por parte del inquilino* también puede financiarse a través de un préstamo-ahorro vivienda. La inversión en una propiedad ajena debería documentarse por medio de un contrato. También las entidades, bancos y cajas de ahorro que ofrecen este tipo de préstamos pueden asesorar respecto a la modernización por parte del inquilino.

En cualquier caso, el inquilino deberá ponerse de acuerdo con el propietario de la vivienda o de la casa respecto a sus *proyectos de modernización* con todos sus detalles, así como del trabajo realizado por él mismo, y obtener el *permiso por escrito* del propietario.

Si el *propietario* es uno mismo resulta más fácil iniciar los trabajos de reforma de la cocina. En una casa que no sea de propiedad también podrá desgravar el gasto en la declaración de la renta.

CONSEJO PROFESIONAL

En lo que concierne a la evaluación del trabajo hecho por uno mismo, aconsejamos recurrir a un asesor fiscal.

Gas, agua, electricidad: la necesidad de un profesional

Una cocina funcional requiere sus correspondientes conducciones de suministro y de descarga; también es una cuestión de seguridad técnica.

Las normas pertinentes de las compañías suministradoras de energía requieren que la instalación nueva, al igual que los cambios efectuados sobre instalaciones antiguas, sean realizados exclusivamente por una empresa concesionaria especializada. Los defectos en la instalación no sólo pueden provocar daños materiales considerables, sino que además pueden representar un serio peligro para la salud y la vida.

Para decirlo claramente: con el consejo y la ayuda de un profesional no nos referimos al trabajo clandestino disfrazado de ayuda entre vecinos. Y no sólo porque en tal caso quien encarga el trabajo está incurriendo en un delito, sino sobre todo porque el

Trabajo profesional

Fregadero funcional

Una cocina en pleno funcionamiento

CONSEJO DE SEGURIDAD

¡No toque las instalaciones de gas, agua y luz! ¡No debe prescindir del consejo y la ayuda de un profesional!

Dispositivo para agua caliente encima del fregadero

que realiza el trabajo clandestino no asumirá la responsabilidad en caso de daños, aparte de que a diferencia del profesional tampoco dispone de ninguna cobertura de seguridad. De todas formas, no será posible obtener el alta oficial de una instalación nueva realizada clandestinamente.

Una tarea típica de profesional será, por ejemplo, *cambiar los anticuados dispositivos de agua caliente*. El lampista concesionario para las acometidas del agua y el gas no sólo le ofrecerá su consejo profesional, sino que además le garantizará el *desmontaje correcto* y adecuado del antiguo dispositivo así como la segura instalación del nuevo. Los nuevos *calentadores murales de gas para agua caliente* permiten combinar la generación de agua caliente con la calefacción de la vivienda en un sólo dispositivo. Este tipo de solución se presta, por ejemplo, para casas que no disponen de calefacción central o para el acondicionamiento del desván cuando no se puede ampliar la calefacción. En este caso también es imprescindible el asesoramiento de un profesional.

Las fincas antiguas: problemas y soluciones específicos

La persona que desee modernizar completamente su cocina debería empezar con la elaboración de un inventario para determinar el estado de las paredes, el suelo y las conducciones de la misma.

Conducciones viejas

Además de la corrosión tanto de las tuberías de agua como de los conductos de desagüe, también son problemáticas las calcificaciones causadas por el agua generalmente demasiado dura.

Las incrustaciones que han ido aumentando con los años disminuyen la sección de la tubería. En el caso de las conducciones de agua, esto provoca la disminución del caudal y una considerable pérdida de presión. Ello puede provocar problemas con el lavavajillas o los calentadores de paso conti-

Antes... y ahora

nuo, impidiendo que arranquen porque la presión del agua no es suficiente.

Si sólo sale un miserable hilo de agua del grifo debería consultar a un profesional para determinar si es necesario renovar todas las conducciones del agua.

En este caso, el profesional le aconsejará la utilización de conducciones de cobre, más resistentes que los conductos de hierro galvanizados sensibles a la corrosión.

En las casas viejas, la acumulación de cal produce muchas veces una repetida *obturación de las bajantes*. A diferencia de los tubos de *suministro, en los tubos de desagüe* existe la posibilidad de eliminar los estrechamientos. Para ello, las empresas profesionales vuelven

a abrir las conducciones con una fresadora montada en un largo árbol flexible. Si ya se han producido muchas obturaciones en las bajantes de la casa, antes de iniciar una reforma debería considerar la necesidad de cambiarlas.

CONSEJO PROFESIONAL

Muchas veces es inevitable tener que renovar la instalación. En las casas antiguas con techos muy altos, a menudo se puede colocar la nueva tubería sobre un falso techo que la oculte. La instalación nueva en las paredes y muros de carga resultará más económica si se hace por encima de los mismos. Las tuberías se podrán revestir con un embellecedor o una moldura.

CONSEJO PROFESIONAL

Las tuberías nuevas pueden montarse de forma más económica y sin laboriosos trabajos en el muro, colocándolas simplemente por fuera del mismo. Pueden ocultarse detrás de una moldura o embellecedor de yeso y cartón, o un listón hueco.

Calentador de agua alimentado por gas

Secciones de cables

En muchas casas los cables de suministro y de distribución que hay no son suficientes.

Si desea colocar nuevos cables de alimentación con sus correspondientes tomas de corriente no tendrá que abrir necesariamente rozas en las paredes con el cincel. En una cocina integrada, los cables de alimentación pueden colocarse perfectamente en la zona del zócalo de la pared y subir por detrás de los muebles; si lo prefiere, también puede colocarlos en los zócalos que son perfiles huecos.

El suministro de agua caliente: ¿central o local?

Tanto en una casa unifamiliar como plurifamiliar, disponer de agua caliente o incluso hirviente en cualquier momento del día o de la noche se ha convertido en un estándar de confort. Ello presupone, sin embargo, que la calefacción central también esté en funcionamiento en verano para disponer siempre de agua caliente en cantidad suficiente.

Si el agua caliente sólo se necesita durante unas horas determinadas del día, se puede recurrir a la generación local de agua caliente mediante un *calentador de paso continuo* que funciona con energía eléctrica o gas. En caso de que necesitemos grandes cantidades de agua caliente también es posible instalar un depósito de agua caliente en un armario o en un nicho.

En la cocina muchas veces necesitamos agua hirviendo; la solución para ello son los *calentadores de agua* que sirven para tal fin y que se pueden montar sobre cualquier instalación existente.

La corrosión electroquímica

En la mayoría de los casos, la modernización completa de la cocina también requerirá la colocación de nuevas tuberías de agua, sobre todo si se desea cambiar la disposición del fregadero y el lavavajillas.

En tal caso es fácil que nos encontremos con un problema que tiene un nombre específico: la corrosión electroquímica. Ésta se produce cuando, en una casa, se unen conductos de hierro galvanizado con conductos de cobre.

En la práctica, la corrosión electroquímica significa que cuando un conducto de agua se compone de dos

Con el fin de evitar los riesgos de la corrosión electroquímica no emplee en ningún caso una tubería de cobre para completar una tubería de hierro galvanizado. Una posible solución sería el empleo de tubos de plástico, los cuales son resistentes a la corrosión. Si las tuberías de la nueva instalación se ocultan con una moldura también pueden utilizarse conductos de plástico flexibles.

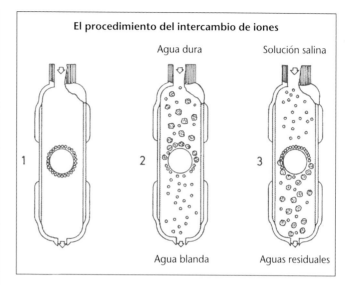

El procedimiento del intercambio de iones

Agua dura

Solución salina

1   2   3

Agua blanda   Aguas residuales

metales diferentes, se desprende un átomo del metal convertido en ion y desaparece para siempre con el agua que se descarga. De este modo, la *parte del conducto que forma iones* se desintegra y aparecen daños en las tuberías.

Desendurecimiento del agua

En muchas regiones el agua dura es una desventaja porque no sólo llena las tuberías de cal, sino que también reduce la vida útil de los dispositivos de agua caliente. Además, produce feas manchas de cal en las baldosas y sobre todo en los fregaderos de color oscuro.

La dureza del agua se debe a los minerales que haya disueltos en la misma, los cuales, en función de su naturaleza química, son más o menos solubles. Las sales más difícilmente solubles tienden a precipitarse y formar las consabidas costras y recubrimientos.

La química nos ofrece la posibilidad de evitar las incrustaciones de las sales que tienden a la precipitación en el interior de las tuberías, mediante el llamado *intercambiador iónico*. El calcio y el magnesio indeseables de las sales disueltas en el agua se transforman en sodio. De esta manera, en forma de sales de sodio, resultan fácilmente solubles y por lo tanto no tienden a precipitarse.

Pero sólo se debería optar por un intercambiador iónico central cuando la dureza

Si decide montar un intercambiador iónico compruebe que éste lleve su correspondiente marca de verificación del organismo competente.

del agua sea extremadamente alta, aproximadamente a partir de un grado hidrotimétrico de IV.

Además de los intercambiadores iónicos también suelen utilizarse dispositivos que añaden agentes químicos al agua mediante una bomba de dosificación, la cual limita e incluso imposibilita la precipitación de aquellas sales que son difícilmente solubles.

Reformar la cocina: problemas y soluciones

Cocina y fregadero en el centro de la cocina

Colocar la cocina y el fregadero en el centro

La reforma de la cocina resultará un poco más laboriosa si queremos colocar la cocina y el fregadero en el centro, como los profesionales.

Para acercar los *conductos y cables de suministro* del modo menos visible y garantizar al mismo tiempo la pendiente necesaria para las tuberías de desagüe, necesitaremos una tarima, a no ser que vivamos en la planta baja y podamos planificar la colocación de conductos y cables por debajo del techo del sótano. Si se reforman varias casas a la vez, pueden montarse los respectivos conductos y cables dentro del *falso techo* del piso inmediatamente inferior, en el antiguo techo alto.

Por supuesto, en tal caso tendrá que proporcionar el debido *aislamiento acústico* y evitar la formación de *agua por condensación* en las tuberías de agua fría mediante el adecuado aislamiento de las conducciones.

La solución más sencilla consiste en una tarima que se puede realizar sin problemas con una estructura de tableros de madera. La altura de la tarima dependerá de la distancia entre el fregade-

En la actualidad, de la cocina moderna se contemplan principalmente los *aspectos funcionales*. Los desplazamientos largos, el tener que agacharse o esforzarse para alcanzar algo que está demasiado alto, deben evitarse en la medida de lo posible. Lo que prima es la ergonomía.

Con el fin de responder a estas exigencias muchas veces será inevitable replantear tanto la disposición de los electrodomésticos como del mobiliario; habrá que *colocar nuevos conductos y cables*. Aunque el fregadero, el lavavajillas y la cocina tengan que disponerse en una pared distinta, o incluso colocarse en el centro del espacio, raras veces plantean problemas insalvables. Si sólo es preciso poner nuevas tuberías y cables de suministro en la misma pared o en la contigua podemos recurrir a la *colocación sobre el muro*, como ya hemos mencionado.

ro y el emplazamiento anterior. Normalmente bastará con unos 20 cm, así que sólo será un escalón; a mayor altura, más escalones. Para que no supongan un peligro debería resaltarlos con colores o, por ejemplo, con un pasamanos. También sirve de aviso un testigo luminoso colocado detrás de un cristal traslúcido en el interior del escalón.

Pegar nuevas baldosas sobre baldosas viejas

La higiene, la facilidad de mantenimiento y la larga vida útil convierten a las baldosas cerámicas en el revestimiento mural ideal para la cocina. Además, la oferta actual de estas baldosas engloba modelos muy acogedores y decorativos que ofrecen *grandes posibilidades de diseño* con sus imágenes, cenefas y listones de cerámica; son un gran aliciente para el reformador que desee elaborar un diseño nuevo de alicatado.

Para ello no es necesario en absoluto desprender a golpes las *baldosas viejas*. La *técnica de capa delgada* nos permite colocar las nuevas baldosas directamente sobre las viejas. Con las finas *baldosas de reforma*, así como los pavimentos de mosaicos pequeños y media-

Antes de alicatar una superficie mayor, igualamos con mortero

nos, evitamos que las nuevas baldosas formen una capa demasiado gruesa y generen problemas a la hora de montar los empotrados y acometidas.

¿Qué hacer si queremos ampliar la zona alicatada?

Por lo general, antes las baldosas solían colocarse sobre la mínima superficie necesaria: alrededor del fregadero en la zona de las salpicaduras, y eventualmente encima de la cocina. Normalmente la altura del alicatado no pasaba de los 60 a 80 cm.

Hoy, en cambio, somos más prácticos y pensando, entre otras cosas, en el gasto de mantenimiento, solemos ser más generosos en el alicatado de las paredes de la cocina.

Si se quiere aumentar la altura del alicatado, deberá plantearse la forma de superar el resalte con el viejo alicatado y el revoque contiguo.

Aparte de la solución extrema que consiste en quitar a golpes de martillo las baldosas viejas, con el ruido y la suciedad que ello supone, hay alternativas realmente factibles más

13

Cocina de una casa rural con alicatado nuevo

acordes con el trabajo del aficionado.

Para superar el resalte de las baldosas viejas y el revoque, se puede igualar con mortero sobre una superficie extensa y después colocar las nuevas baldosas mediante el procedimiento de capa delgada. Con esta solución, sin embargo, se ve el desajuste en las esquinas cuando éstas no quedan ocultas por los armarios.

Para ello, una solución que resulta perfecta para el ojo consiste en aplicar una capa de mortero con el grueso de las baldosas vie-jas hasta llegar al *nivel de las mismas*. En tal caso suele ser preciso colocar metal expandido sobre el revoque antiguo para que las nuevas baldosas tengan agarre.

Por lo general, resulta más fácil montar un tablón de yeso y cartón del grosor adecuado con unos tacos en la pared. Si el resalte de las baldosas es inferior al grosor del tablón más fino, deberá quitar parte del *revoque antiguo*. Después, puede pegar el tablón de yeso y cartón con unos puntos de mortero que servirán al mismo tiempo de puntos distanciadores. A continuación, golpee el tablón a hasta que quede a ras con las baldosas. Este procedimiento también permite ocultar la instalación eléctrica y las tuberías detrás de los tablones. Una vez el mortero haya fraguado podemos pegar las baldosas con la técnica de capa delgada.

Cuando son milímetros los que están en juego o surgen problemas en la instalación que no permiten *pegar baldosa sobre baldosa*, no tendremos más opción que quitar las viejas baldosas.

Por lo común, si la construcción es antigua nos encontraremos con un alicatado realizado con la *técnica de capa gruesa*. En tal caso habrá que quitar las baldosas de forma que la capa de mortero quede intacta. Después, igualaremos la pared con un mortero para alisar. Sobre la superficie plana que hayamos obtenido de este modo, podremos colocar las baldosas en capa delgada. Si el alicatado tiene que ir más arriba que el anterior, antes de colocar las baldosas debemos igualar sobre una superficie extendida el ligero resalte que pueda haber entre la capa gruesa alisada y la superficie de pared contigua.

Luz, aire y sol para la cocina

Una cocina debe estar bien iluminada y ser fácil de ventilar. La luz del día sigue siendo la mejor *iluminación para un lugar de trabajo*. Pero en general ésta no suele ser suficiente, sobre todo porque la mayoría de las cocinas están orientadas hacia el norte. La falta de luz solar puede compensarse, al menos ambientalmente, con la elección de colores cálidos y acogedores. También será preciso instalar la iluminación apropiada, acorde con el espacio y la cocina.

Por cuestiones de higiene es imprescindible la buena circulación del aire. Una *ventilación* adecuada evita la propagación de los olores molestos y ayuda a evacuar el vapor de agua que se genera en la cocina al cocinar o fregar. De lo contrario, es fácil que se forme *agua de condensación*. Además, en una estancia, el aire cargado de humedad es el caldo de cultivo ideal para todo tipo de gérmenes e insectos perjudiciales.

Para que el aire se renueve suele bastar con una ventilación puntual, abriendo las ventanas de par en par. El aire más caliente de la cocina se evacua rápidamente y es sustituido por el aire más fresco y seco que

Iluminación dirigida encima del fregadero

proviene del exterior. De esta forma, la pérdida de energía es mínima. Una *ventilación puntual* breve y repetida no sólo resultará más económica respecto a los gastos de calefacción que una ventilación continua, sino que además es más eficaz para evacuar la humedad del aire.

La campana extractora de humos

Los vahos suelen resultar muy molestos, sobre todo porque en el caso de las cocinas abiertas expanden los olores por todo el piso. Los *vahos de cocina* contienen además partículas de grasa, las cuales se depositan junto con el agua condensada sobre las superficies más frías como las baldosas e incluso los muebles. En consecuencia, queda una película pegajosa que atrae la suciedad y aumenta la tarea de limpieza de la cocina.

Por ello es aconsejable detener los vahos de cocina allí donde se generan, cosa que conseguiremos en gran medida con una *campana* de alto rendimiento. Actualmente, podemos escoger entre dos sistemas:

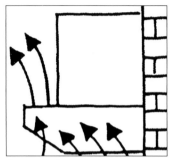

Campana sin salida de humos

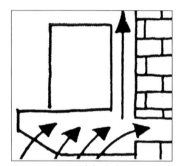

Campana con salida de humos

El principio del aire circulante

Si se trata sobre todo de filtrar los vahos de grasa para eliminarlos, cuando los olores de la cocina no suponen problema alguno porque se trata de una cocina cerrada y bien aireada, basta con una campana que funcione con el principio del aire circulante. Mediante un *ventilador,* la campana aspira los vahos de la cocina y dirige el aire aspirado hacia un *filtro* que separa las partículas de grasa.

Estos filtros pueden ser de papel, de metal o de fieltro. Estos últimos tienen la ventaja de que se pueden limpiar y reutilizar, mientras que los dos primeros tienen que sustituirse por otros nuevos. Por otra parte, con unos *filtros de carbón activado* situados detrás de los antigrasa, se pueden retener las partículas de olor. Así, los procesos de cocción de pescados y verduras como la col resultan menos impactantes.

El principio del escape de aire

Para las cocinas abiertas son más aconsejables las campanas que no sólo filtran los vahos de cocina y devuelven el aire al interior, sino que una vez filtradas las partículas de grasa expulsan el aire al exterior. La evacuación se realiza por el camino más corto a través de un canal de plástico de sección redonda o cuadrada, que no necesita mucho espacio y que puede ocultarse fácilmente en el interior o encima de un armario de pared, o bien dentro del reborde de una estantería plana que tenga moldura deflectora de luz.

Para instalar este sistema es necesario efectuar un orifico en los muros externos de la casa, lo que puede generar problemas relacionados con el montaje o el permiso de instalación en caso de tratarse de una casa de alquiler.

Las campanas se venden como componentes de una serie de muebles de cocina, o como elementos independientes con su propia carcasa, cuyo color suele corresponder al de las cocinas existentes en el mercado. También se puede optar por una versión empotrada que se puede integrar a una estructura preexistente que esté situada sobre la cocina o a una estructura de montaje propio.

La decisión de si la campana es sólo un aspecto más del confort que ofrece una cocina moderna, o si se trata de un elemento imprescindible, dependerá del tamaño de la cocina así como de sus posibilidades de ventilación.

En las grandes cocinas de las casas antiguas la ventilación no suele representar un problema, mientras que en las cocinas pequeñas es necesario disponer de una buena aspiración de los vahos. La campana será imprescindible en aquellas cocinas que estén abiertas al espacio habitable, para evitar la molesta propagación de los olores.

Materiales para tabiques y muebles de fabricación propia

En la reforma de una cocina a menudo se proyecta cambiar la utilización de la planta, montar tabiques o crear nuevos espacios. No todos los aficionados se atreverán a levantar un muro con ladrillos y mortero que resulte estable y recto. Además, conviene tener en cuenta que el peso de un muro de este tipo puede crear problemas de estabilidad.

Serrar ladrillos porosos

Tabique de tablones de yeso y cartón

Ladrillos planos porosos

Para levantar un muro son idóneos los ladrillos planos porosos, ligeros de peso y de fácil manejo. Se venden en diferentes formatos (p.ej. 25x50x10cm), son planos y de superficie lisa, con los cantos y ángulos rectos.

Estos ladrillos tienen innumerables poros de gas muy finos; se pueden cortar a medida con facilidad utilizando una sierra de mano o un serrucho eléctrico para emplearlos según convenga.

Los ladrillos planos se pegan unos a otros mediante *un mortero especial* para tal fin. Para conseguir la estabilidad necesaria, se colocan los ladrillos planos en trabazón, de forma que las juntas verticales siempre

Estantería de cocina fabricada con ladrillo poroso

Columna de ladrillo poroso para electrodomésticos

queden desplazadas. Durante la reforma muchas veces no será posible integrar el nuevo muro de ladrillos porosos en los muros ya existentes; para mejorar la estabilidad, se puede fijar una viga en el muro con tacos y trabajar la parte frontal de los ladrillos de manera que rodee la viga. Una vez apli-

cada una capa de *fijativo penetrante* se pueden adherir las baldosas directamente sobre los ladrillos porosos, o bien aplicar un revoque. Si desea pintarlos o poner papel pintado, tendrá que igualar con masilla las rugosidades y los huecos que hayan quedado, y una vez la masilla esté seca, lijarla.

Colocación y listones

Enmasillado de las juntas

Pegado directo

Montaje del bastidor

Tablones de yeso y cartón

El aficionado acostumbrado a trabajar la madera y demás materiales a base de madera encontrará en los tablones de yeso y cartón –fáciles de cortar con un cutter y de tratar con las herramientas comunes para la madera– un material ideal para montar tabiques ligeros.

Los tablones de yeso y cartón se venden en diferentes grosores, formatos y acabados. Los grosores más frecuentes son de 9, 5, 12 y 20 mm. Para el aficionado resultan muy prácticos los tablones más pequeños de 260x60 cm, cuyo transporte por escaleras muy estrechas no supone ningún problema.

Normalmente, los tablones se atornillan sobre una construcción portante de madera o metal montada sobre la pared vieja, o una estructura independiente en cuyo interior se podrá realizar la nueva instalación de cables y conductos.

Aunque también es posible colocarlos directamente sobre la mampostería o un revoque estable con puntos de mortero. Y si contamos con un sustrato plano y liso como el hormigón, incluso podemos pegarlos en toda la superficie con mortero de juntas y ahorrar espacio.

Los tableros de construcción de 20 cm de grosor requerirán como soporte una estructura considerablemente menos elaborada. Hasta una altura de 260 cm, un tabique montado con estos tablones sólo requerirá un único travesaño horizontal. A la ventaja que supone el ahorro de material y tiempo se añaden mayor rigidez de los tablones, mejor aislamiento acústico y más capacidad de carga a la hora de montar objetos pesados en la pared.

En la construcción de tabiques necesitamos una estructura de soporte que esté sujeta al suelo, el techo y las paredes y que posteriormente pueda revestirse de tablones de yeso y cartón. Esta estructura puede ser de madera (6x5 cm y 6x6 cm) o bien de perfiles metálicos.

En todos los tablones de yeso y cartón es necesario emplastar las juntas verticales y horizontales. Para ello, los cantos de los tablones ya vienen redondeados.

Tablones de yeso y cartón

Poseen un núcleo de yeso solidificado con fibra de vidrio picada o fibras de papel, por lo que resultan más resistentes ante la acción del fuego, además de tener mayor rigidez y solidez.

Los tablones de yeso entre cartón suelen medir 100x150 cm. Para evitar las juntas en cruz normalmente se colocan alternando el formato largo con el corto y atornillándolos sobre una estructura de madera o de perfiles de metal. Encontrará más información al respecto en el libro *Cómo reformar y acondicionar con placas de construcción ligera* de esta misma colección.

Tablero de madera encolada

Para construir muebles, la madera encolada es un material que resulta especialmente interesante. Básicamente, son tablas de madera blanda pegadas, cepilladas y lijadas. Este material ofrece al aficionado la posibilidad de construir sus propios muebles de madera maciza. Puesto que la madera encolada es maciza, también sirve para efectuar trabajos de decoración con la cajeadora.

Tablero de virutas de madera

En la cocina debería utilizar, en la medida de lo posible, tableros de virutas resistentes al agua. Los cantos de corte deberán ser protegidos contra la absorción de agua enmasillándolos con una pasta de dos componentes.

Esta medida también es aconsejable cuando utilicemos tableros con revestimientos, cuya superficie está protegida contra el agua mediante una capa decorativa recubierta de resina de melamina, pero cuyos cantos también pueden absorber el agua con facilidad.

Si utiliza tableros de virutas contrachapados debería cubrir los cantos, incluso en los lados que no queden a la vista, con unos rebordeados de madera maciza que se pegan con cola hidráulica. El acabado con una laca de alta resistencia que suele emplearse en la construcción naval sellará por completo el contrachapado y los rebordes contra la influencia de la humedad.

Los tableros de virutas que tienen un laminado especial de imprimación son una base ideal para el barnizado, por lo que resultan una buena elección para fabricar muebles con este tipo de acabado.

Para que la unión de los tableros de virutas quede fija, el mercado ofrece tornillos de rosca cortante (véase el gráfico en la página 20). El núcleo de este tornillo tiene forma cilíndrica y la rosca está cubierta con un plástico autolubricante.

Para que se puedan atornillar a máquina, estos tornillos suelen ser autotaladrantes y tener la cabeza avellanada, por lo que no es necesario taladrar el orificio y avellanarlo antes de introducir el tornillo.

Para cargas elevadas debería utilizar tornillos más largos o, para mayor seguridad, encolar una espiga de madera de haya estriada en el orificio destinado a los tornillos para que estos últimos encuentren un buen agarre.

1 Un núcleo más delgado y cilíndrico con «puntas de agarre ABC».

2 Una superficie de rosca portante más grande.

3 Una distancia más grande entre los filetes de rosca proporciona más resistencia y fuerza al material, corriendo menor riesgo de que se rompa.

4 Un ángulo de 40°, formando un triángulo en los flancos del filete de la rosca.

5 Una rosca portante en toda la longitud del vástago.

6 Templado y resistente a la rotura.

7 Sinterizado con plástico, por lo que sólo tiene algo más del 50% de la resistencia al atornillado (par de atornillado).

1 Núcleo más grueso, deformación más importante en el interior del material.

2 Superficie de rosca más estrecha; menor resistencia a la rotura de los filetes de rosca.

3 Un espacio más reducido entre los filetes de rosca debilita la estructura de un material más grueso. La rosca no soporta lo suficiente.

4 Un ángulo menos agudo de 60° en los flancos del filete de la rosca.

5 La rosca sólo ocupa el 60% de la longitud del tornillo.

6 Sin capa de deslizamiento.

Tablero de fibras de densidad media (MDF)

La fibra de madera altamente compactada tiene multitud de aplicaciones, tanto para la fabricación de muebles como para el acondicionamiento del interior. Este material se realiza a partir de madera descortezada de coníferas, la cual se limpia, se deshilacha, se mezcla con un adhesivo pobre en contaminantes y se prensa en forma de tableros. Por ello, estas tablas reúnen las mejores características de la madera maciza y una gran estabilidad dimensional, además de resultar económicas. Este material ofrece una gran resistencia a la flexión y se trabaja con facilidad. Permite fresar hasta llegar al núcleo y resulta tan sencillo de barnizar en los cantos como en la superficie. Una de sus características es asegurar tanto los tornillos que éstos no

Aunque en la parte frontal del tablero de virutas no obtendrá un agarre de la misma calidad, por lo general será suficiente.

Las encimeras más utilizadas son de fibras de densidad media altamente compactadas. Suelen venir con un canto delantero ya redondeado. Al igual que el tablero de virutas laminadas, la superficie está recubierta por una película decorativa que también puede tener una superficie rugosa o ser de tipo madera. La gama de los diseños de esta película abarca desde la imitación de madera hasta la apariencia de tableros pegados en bloque; mármol o piedra, e incluso de texturas como el lino. Una buena encimera debe ser resistente al calor, así como relativamente resistente a los cortes y arañazos.

pueden arrancarse. El contacto con el agua sólo le produce un hinchamiento menor.

Los tableros de MDF se venden en formatos de hasta 38 mm de grosor. Cuando necesitamos un grosor más importante, podemos conseguirlo fácilmente colocando dos placas una encima de otra.

Los tableros más finos son tan flexibles como la madera contrachapada y, al igual que ésta, pueden pegarse siguiendo formas para obtener elementos redondeados.

Este material se vende sin recubrimiento, con un laminado especial de imprimación o bien con una superficie natural (apariencia de madera).

Encimera de tablero MDF contrachapado con madera de abedul

Tablero de madera estratificada

Cuando se trata de montar sobres para mesas alicatadas, mesas extensibles o similares, los tableros de madera estratificada resultarán idóneos por su resistencia a la flexión. En todo caso, es preciso barnizar la superficie opuesta para sellar el material. Los cantos se cubren con rebordeados de madera maciza que llegan hasta el canto superior del alicatado. Para pegar los rebordeados siempre se debería utilizar cola hidráulica y conviene barnizarlos antes de llaguear la superficie alicatada.

Tablero de resina acrílica con carga mineral

Los tableros macizos de 6 ó 12 mm de grosor fabricados a partir de óxido de aluminio mezclado con resina acrílica resultan un material interesante para realizar la encimera y los alféizares de la ventana. Generalmente se venden en tonos blanco y mármol, aunque también los hay coloreados. Este material es muy fácil de trabajar con herramientas equipadas con plaquitas de metal duro y puede pegarse sin necesidad de junturas empleando una cola especial. Se caracteriza por su superficie de fácil mantenimiento y tacto agradable. En ella, los recipientes calientes no dejan huella, ni la brasa de los cigarrillos ni los zumos de frutas y verduras que suelen teñir. Prácticamente, es la superficie ideal para extender la masa y demás tareas de repostería.

Baldosas para suelos, paredes y encimeras

Baldosas de gres

Juego de colores con baldosas

A la hora de diseñar la cocina no sólo pensamos en la apariencia sino sobre todo en la resistencia, la higiene y la facilidad de mantenimiento.

Baldosas de cerámica fina

Con la baldosa de cerámica fina se consigue una superficie cerrada fácil de mantener y, por lo tanto, higiénica, con una larga vida útil y una gran resistencia. Debido a la variedad de colores, formatos y superficies existentes, ofrece un número casi ilimitado de posibles combinaciones. Para que la cerámica pueda lucir todas sus ventajas es importante elegir bien el material de embaldosado; hay que tener especialmente en cuenta la solicitación a la que estará sometida.

El suelo es la superficie más solicitada. En una cocina el agua siempre acabará salpicando el suelo, y éste también se ensuciará al caer algo mientras se limpian las verduras, se lava la fruta, etc. Por ello, deberíamos elegir un formato de baldosa más pequeño para el suelo de la cocina, el cual ofrecerá una mayor estabilidad que los formatos grandes debido a su alto porcentaje de juntas.

Encontrará más información sobre la elección de las baldosas así como su correcta colocación en el libro *Colocación de losas y baldosas* de esta misma colección. En este apartado resumiremos los puntos más importantes.

Las losas se componen de una pasta de grano fino, cristalina, porosa y relativamente blanda, de color blanquecino, amarillento o rojizo. Están cubiertas de un esmalte brillante o transparente mate, o bien de un color opaco, y pueden tener relieve. El esmaltado relativamente blando y la pasta cocida a temperaturas no excesivamente elevadas limitan el esfuerzo mecánico que pueden resistir; por este motivo, las baldosas de losa se utilizarán en la cocina sólo para las paredes. Un complemento interesante para las mismas son las baldosas de borduras, los listones de cerámica de colores y las imágenes decorativas compuestas por varias baldosas independientes.

Las *losas sin esmaltar* son las baldosas de cerámica fina que más esfuerzo pueden resistir; apenas mostrarán la menor señal de desgaste. A menudo tienen una apariencia más bien rústica. Cuando hay humedad, la superficie con una rugosidad de menos de 0,0000003 mm resulta antideslizante.

Por otra parte, la ausencia de esmalte también hace que la baldosa sea muy sensible a las manchas. Para ello, una solución es dar una ligera capa de aceite de parafina a la superficie de las baldosas.

Las *losas esmaltadas* se diferencian según la DIN EN 176, actualmente en vigor, en cinco *grupos de desgaste por abrasión*; a partir del grupo II, las pertenecientes a los siguientes grupos son aptas para el uso en la cocina.

Las baldosas pueden emplearse de forma general en la cocina como revestimiento del suelo, de la superficie de trabajo y, por supuesto, también de las paredes. Debido a su esmalte, este tipo de baldosa es resistente a los agentes que manchan. A partir del *grupo de desgaste a la abrasión III*, este material es lo suficientemente duro como para poder resistir también la clase de suciedad abrasiva con la que debemos contar en la cocina. Pero el esmaltado aumenta el peligro de resbalar cuando está húmedo, por lo que es aconsejable elegir un formato más pequeño o un mosaico para

Dar toques decorativos con las baldosas

el revestimiento del suelo.

En la reforma de las casas antiguas muchas veces surgen problemas específicos. Qué hacer, por ejemplo, cuando se trata de colocar el primer suelo de baldosas en la cocina, o plantearnos si colocar las baldosas nuevas encima de las viejas para no tener que arrancar estas últimas. En ambos casos, además, tendremos un umbral que puede convertirse fácilmente en causa de tropiezos. Para evitar este tipo de problemas debemos elegir las *baldosas de reforma*. Éstas tienen unas dimensiones y unos valores de resistencia normales, pero su grosor tan sólo alcanza de 6 a 7 mm. Además, estas baldosas también pueden ser útiles en las paredes para no tener que alargar las acometidas de las tuberías.

Pegamentos para baldosas

La moderna técnica de encolado en capa delgada ha simplificado considerablemente la colocación de baldosas. Sobre todo ha contribuido a ello el pegamento que garantiza los buenos resultados del trabajo.

Actualmente, los *adhesivos de dispersión* se utilizan principalmente para pegar *baldosas de losa y gres* sobre un revoque. El adhesivo, listo para su uso y de consistencia pastosa, se reparte sobre una superficie de 1 a 1,5 m² aproximadamente con la ayuda de una espátula dentada; a continuación, se colocan las baldosas en el nuevo lecho adhesivo y se alinean. En el caso de utilizar unas baldosas de formato grande es aconsejable emplear adhesivos especiales con un agarre inicial especialmente elevado.

Los adhesivos de dispersión también se venden con función selladora incorporada. Este tipo de pegamento se presta especialmente para el alicatado de superficies expuestas al agua sobre un soporte de tablón de yeso y cartón o fibra de yeso, paredes de yeso, tableros de virutas de madera y ladrillos porosos. Para conseguir el efecto de sellado deseado, antes de aplicar el adhesivo con la es-pátula dentada aplique una capa de 1 mm de grosor aproximadamente con la espátula para alisar. Refuerce esta capa en los rincones y esquinas incorporando una cinta de sellado. Al día siguiente podrá proceder al pegado encima de la capa de sellado seca. Para conseguir la impermeabilidad al agua no es necesario efectuar un llagueado especial; basta con un mortero de juntas corriente. Las juntas de unión, las esquinas y las juntas de dilatación siempre deberán llaguearse de manera elástica permanente.

Los *adhesivos en polvo* se mezclan con agua. Normalmente se utilizan para pegar las baldosas del suelo, aunque también pueden emplearse para los azulejos.

Añadiendo una dispersión de plástico, muchos adhesivos en polvo pueden adquirir características como elasticidad e impermeabilidad. También existen adhesivos en polvo que vienen premezclados ya de fábrica con cualidades de flexibilidad.

Los *adhesivos de dos componentes* (adhesivos tipo epoxi) sirven para el pegado de encimeras. Si además se utilizan estos adhesivos, disponibles en gris o en blanco puro, para el llague-ado de una encimera ideal, ésta tendrá una superficie hidrófuga y repelente a la suciedad.

Puesto que este tipo de adhesivo una vez fraguado ya no se puede quitar, es muy importante limpiar completamente la superficie llagueada antes de que el adhesivo se endurezca.

Las juntas no sólo son una necesidad técnica en las baldosas cerámicas; también pueden utilizarse como elemento decorativo. Según el color elegido se puede resaltar el dibujo de las juntas o bien disminuir su impacto visual. Para conseguir un diseño adecuado de las juntas en las esquinas y uniones, puede utilizar un material sellador para juntas sanitarias que es elástico permanente y que está disponible en los colores correspondientes. Éste compensa las tensiones y evita la aparición de grietas.

Sustrato	Preparación	Adhesivo adecuado
hormigón, solado de cemento		adhesivo en polvo
revoque de cal o sin preparación	fijativo penetrante	adhesivo de dispersión, cemento adhesivo en polvo
ladrillo poroso	fijativo penetrante adhesivo en polvo con características especiales	adhesivo de dispersión flexible
revoque de yeso, tablones de yeso y cartón	fijativo penetrante, y si debe ser impermeable, cubrir toda la superficie con una capa de adhesivo de dispersión o en polvo para sellar	adhesivo de dispersión, adhesivo en polvo (si es necesario, con aditivos para que sea impermeable)
yeso y cartón en general	ninguna en tablones impregnados; en caso contrario, fijativo penetrante	
• sin solicitación por agua • con solicitación por agua	antes de pegar las baldosas aplicar una capa de sellado, dejar endurecer, y después aplicar adhesivo	adhesivo de dispersión o en polvo adhesivo de dispersión impermeable, adhesivo en polvo o de dos componentes
tableros de virutas de madera, madera contrachapada con solicitación de agua	lijar	adhesivo de dispersión, adhesivo en polvo con aditivo para ser flexible, adhesivo de dos componentes
pinturas sólidas	lijar o lavado cáustico	adhesivo de dispersión
pinturas encaladas o sueltas	lavar y después aplicar un fijativo penetrante	adhesivo de dispersión
baldosas viejas, sin esmalte (suelo)	lavar con desengrasante	adhesivo en polvo, con aditivo para ser flexible
baldosas viejas esmaltadas	lavar con desengrasante; si es necesario, agrietar la superficie con un martillo	adhesivo de dispersión, adhesivo en polvo, adhesivo de dos componentes
metal	engrasar	adhesivo de dos componentes

Papel pintado de fibra gruesa

Papel pintado de fibra de vidrio

Paneles decorativos

La baldosa es el revestimiento de pared más frecuente en la cocina; no obstante, existe también una serie de alternativas.

El papel pintado barnizado de fibra gruesa es una de ellas. En vistas de una fácil limpieza y mantenimiento, en la cocina no se debería utilizar un material de fibra demasiado gruesa, especialmente en las zonas donde salpica el agua; alrededor de la cocina y del fregadero, y tampoco se debería elegir un relieve de dibujo demasiado fino en caso de utilizar un papel pintado estampado. El barnizado brillante no sólo facilitará el mantenimiento, sino que además resaltará la estructura.

Reciente en el mercado e ideal para la reforma de la cocina es el *papel pintado de fieltro*, estampado y especialmente fácil de trabajar.

Como *agente de barnizado* le recomendamos los barnices acrílicos brillantes o satinados, disueltos en agua (también denominados barnices de dispersión). Igualmente aptas son las pinturas de látex brillantes. Ambos darán como resultado una superficie resistente y al mismo tiempo decorativa. Resisten los agentes químicos corrientes así como las limpiezas a fondo.

El tejido de fibra de vidrio es un material ideal para reformar paredes y techos problemáticos. Se vende en diferentes tipos de tejido y embalajes; como por ejemplo el tejido de fibra de vidrio sobre soporte de papel que se pega, igual que un papel pintado grueso, mediante un adhesivo especial mejorado con materia plástica; o bien en forma de tejido «desnudo» que se coloca directamente sobre una capa de pegamento previamente aplicada en la pared. En ambos casos, una vez se ha secado el adhesivo, se da una mano de barniz de dispersión, de pintura de látex u otra pintura resistente a los agentes abrasivos.

El *tejido de fibra de vidrio* se caracteriza por su alta resistencia a la tracción, por lo que se presta para reparar un revoque agrietado en los muros o el techo.

La *madera* es un material de recubrimiento que también resulta idóneo para las paredes y el techo de una cocina. En las zonas de la cocina y el fregadero, sin embargo, la madera precisará de un tratamiento de protección adecuado mediante lacas de capa gruesa o barnices. En la zona húmeda del fregadero, el canto inferior debería acabar con la madera perfilada o tablas en biselado, para que forme un canto de goteo y el agua salpicada caiga en el fregadero.

Para los *revestimientos del suelo*, las alternativas al embaldosado abarcan desde las losas de PVC, pasando por las de caucho con relieve, hasta las placas de corcho. Todos estos materiales son resistentes al agua y más o menos elásticos al pisar, además de relativamente fáciles de mantener.

Las *placas y los rollos de PVC* se venden en una amplia gama de colores y gran variedad de diseños. El PVC es un material de larga vida útil, pero no está exento de problemas en lo que concierne a la eliminación de los residuos.

Los *revestimientos de vinilo* generalmente se fijan sobre el soporte mediante un adhesivo especial. También se pueden colocar utilizando un adhesivo que se aplica de forma líquida y que permite volver a levantar el revestimiento sin dañar el soporte.

El empleo de *losas de caucho con relieve* está muy extendido en el campo industrial, pero ahora también ha entrado en el ámbito de la vivienda particular, sobre to-

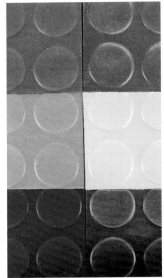

Caucho con relieve

Corcho

do porque ya no se limitan al triste color negro, sino que también está disponible en muchos colores luminosos. Estas losas son muy apreciadas por los aficionados al llamado estilo *hi-tech* (alta tecnología). Se caracterizan por su elevado grado de seguridad antideslizante.

Normalmente, las losas de caucho con relieve se colocan con adhesivos para suelos con poca agua siguiendo la técnica de pegamento por contacto, pero aplicando el adhesivo solamente en el suelo. Puesto que estas losas de goma son prácticamente impermeables al vapor, el adhesivo tiene que airearse bastante tiempo antes de colocar las losas en la zona impregnada.

El corcho es un material muy elástico, un aislante acústico y térmico, y demuestra una gran capacidad de recuperación después del impacto de una presión. El corcho natural no es inflamable; otras ventajas son su larga vida útil y resistencia al uso.

Para el revestimiento del suelo, el corcho se suministra en forma de losas grandes de color natural o bien coloreadas.

Suelo estratificado

Los revestimientos de corcho se colocan con adhesivos de dispersión con poca agua, posicionando las placas sobre el lecho de adhesivo previamente aireado.

Un material plenamente aceptado en las tendencias actuales que optan por el empleo de materiales naturales en las viviendas es el *parqué*, que también puede ponerse en la cocina si se le aplica un sellado resistente. El parqué no sólo ofrece un aspecto atractivo, sino que también resulta cálido a los pies debido a las buenas características de aislamiento térmico de la madera.

Cualquier aficionado un poco manitas puede colocar un parqué. Normalmente, los elementos que van provistos de ranura y lengüeta se colocan de manera flotante sobre una capa de deslizamiento. Alrededor, tocando el muro, se mantiene una ranura abierta que será posteriormente cubierta por el listón del zócalo. Las juntas entre los respectivos cantos largos de los elementos deberán ir desplazadas.

Siendo un material vivo, la madera impacta sobre todo por su textura. Por ello es muy importante elegir las diferentes planchas de parqué de manera que formen una atractiva imagen.

Para el paso entre un suelo de parqué y un revestimiento de menor grosor, en los comercios especializados podemos encontrar los correspondientes perfiles de unión.

Más robustos que los suelos de parqué son los llamados *suelos estratificados*. Consisten en un núcleo de tablero MDF recubierto con una película decorativa y resina de melamina, por lo que son de muy fácil mantenimiento a largo plazo. La colocación es la misma que para las planchas de parqué.

Fregaderos y grifería

A pesar del lavavajillas, el fregadero sigue siendo uno de los puestos de trabajo más importantes de la cocina. Por ello merece la pena considerar todas las posibilidades para encontrar una buena solución.

Como materiales tenemos el acero *fino,* el acero esmaltado, el cobre, la cerámica y el acrilo sanitario. El acero fino es conocido por ser un material muy robusto pero requiere una limpieza frecuente, ya que sólo un fregadero abrillantado resulta atractivo. El *esmalte* es un clásico que se encuentra en una amplia gama de colores, muy decorativo y de fácil mantenimiento, pero también muy sensible a los golpes. Los *fregaderos de cerámica* se caracterizan por su buena absorción acústica y aspecto atractivo, aunque también son muy sensibles a los golpes.

Uno de los materiales más novedosos para los fregaderos es el acrilo sanitario, consistente en una mezcla de resinas acrílicas de alta calidad combinadas con carga mineral, que se vende en muchos colores. La superficie de *acrilo sanitario* es fácil de mantener y relativamente insensible; su conformación general ofrece una gran libertad en el diseño.

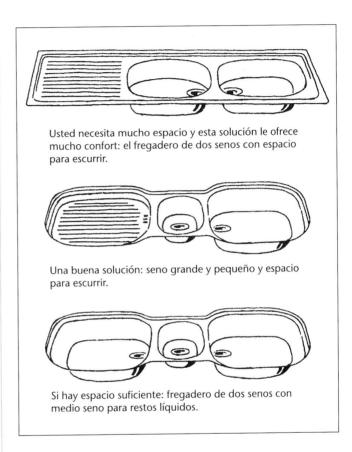

Usted necesita mucho espacio y esta solución le ofrece mucho confort: el fregadero de dos senos con espacio para escurrir.

Una buena solución: seno grande y pequeño y espacio para escurrir.

Si hay espacio suficiente: fregadero de dos senos con medio seno para restos líquidos.

Actualmente, todos los fregaderos, en cualquiera de los materiales citados, se venden de *1 o 2 senos;* como combinación entre fregadero y escurridero, o bien con medio seno integrado para lavar fruta y verduras. La forma del seno puede ser rectangular, cuadrada, redonda o bien asimétrica. Son interesantes los fregaderos-esquinera, que pueden contribuir a aprovechar mejor el espacio disponible en cocinas pequeñas. Los fregaderos de acrilo sanitario se pueden integrar sin juntura en la encimera; los demás, o bien descansan sobre la encimera, o están situados por debajo de la misma.

Práctico armario de base con tirador

La *grifería moderna* resalta el diseño funcional del fregadero con *grifos giratorios* o *griferías mezcladoras* con *mangueras de tubo extensible*. Tanto los grifos mezcladores monomando como los de dos palancas permiten regular la temperatura del agua.

La mecánica de excéntrica abre y cierra los desagües de los senos según nuestras necesidades, sin tener que mojarnos las manos.

En lo que respecta al colorido, la grifería actual se ajusta a todos los estilos de cocina. Hay gamas que abarcan desde el *cromado*, pasando por el latón, hasta el *acero fino* cepillado; desde el dorado duro, que resulta caro pero de larga vida útil, hasta un nostálgico *acabado de cobre o bronce*, pasando por los más modernos *esmaltes en polvo*.

CONSEJO ECOLÓGICO

La grifería con termostato suministra agua a una temperatura que se puede regular con exactitud, y como ya no son necesarios los molestos mezclado y regulado posterior, contribuyen a ahorrar agua.

Grifo con manguera de tubo extensible

La rentabilidad de una buena planificación

La planificación de la cocina debe obedecer siempre a las necesidades particulares del usuario. Por supuesto, una cocina para un piso de soltero será distinta a la de una familia con niños, y también las cocinas para personas de la tercera edad deberían ajustarse a sus necesidades específicas. Un escalón resulta moderno y atractivo en una cocina para gente joven, pero no tiene justificación en una cocina para personas mayores, para quienes puede suponer un obstáculo.

Aunque en la mayoría de los casos se aceptará el plano original, conviene plantearse si los emplazamientos de los acometidos del gas, agua y electricidad también deben aceptarse tal como están. ¡Una planificación a tiempo evitará problemas a la hora de colocar cables y tuberías y ahorrará gastos!

Ergonomía y economía

Para la planificación de la cocina disponemos de cinco tipos de cocinas base, todos ellos funcionales, que únicamente se diferencian por sus dimensiones espaciales.

La cocina más compacta es la de *construcción en dos filas*, en la que la ventana y la puerta se hallan respectivamente en cada una de las paredes enfrentadas. El ancho mínimo para este tipo de cocina es de 2,40m. Esta medida es el resultado que se obtiene al sumar dos medidas de 60 cm que provienen de las dos filas de armarios, a las que se añade un pasillo que las separa de 1,20 m de ancho (prescrito por DIN), el cual permite abrir cómodamente las puertas de los armarios y moverse con la libertad necesaria.

El ancho mínimo de 2,40 m también es necesario para una cocina planeada en *forma de U o de G*. Las cocinas de una fila, o en forma de L, normalmente se ubican dentro de estancias más amplias cuya superficie restante servirá entonces de comedor o salón-comedor. Sin embargo, delante de los armarios conviene dejar un espacio mínimo de 1,20 m. para movernos libremente.

La *cocina de una fila* necesita una superficie mínima de 3,60 m de largo y un ancho de 60 cm que también es necesario en la zona de la puerta, para que el conjunto resulte funcional y pueda contener los electrodomésticos necesarios.

La cocina de dos filas parece poco ortodoxa, pero ofrece mucho espacio para colocar los muebles en una superficie reducida y la ventaja de los desplazamientos más cortos.

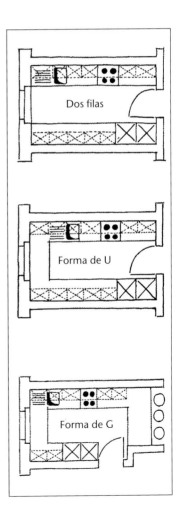

Dos filas

Forma de U

Forma de G

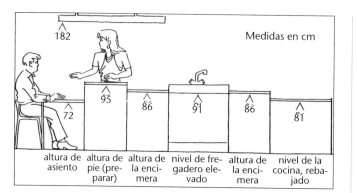

| altura de asiento | altura de pie (preparar) | altura de la encimera | nivel de fregadero elevado | altura de la encimera | nivel de la cocina, rebajado |

La *cocina en L* demuestra ser una solución válida incluso en aquellos espacios con una disposición desfavorable de puerta y/o ventanas. El espacio restante suele ser suficientemente grande como para incluir un rincón-comedor. Esta disposición en L también puede ser una buena solución para espacios estrechos.

Desde el punto de vista ergonómico, la cocina en forma de U se considera la más apropiada. Suele elegirse mayoritariamente para cocinas relativamente estrechas, de manera que no queda espacio para una mesa.

La cocina en *forma de G* es la solución ideal para cocinas grandes. Se aplica con frecuencia en cocinas abiertas; en el lado corto suele ofrecer espacio suficiente para integrar una *barra americana para comer*, con lo que nos ahorramos des-plazamientos al servir la comida y quitar la mesa.

Una barra de este tipo puede tener la *altura normal* de una mesa (70 cm) o bien elevarse hasta la *altura de la encimera* (90 cm). En el primer caso podremos sentarnos con las sillas normales, mientras que en el segundo precisaremos de sillas más altas, a no ser que construyamos una tarima para las sillas, de unos 20 cm de altura. De ser así, la tarima debe tener una anchura suficiente (por lo menos 100 cm) que ofrezca buena estabilidad para las sillas.

La altura de trabajo adecuada

Para que el trabajo en la cocina sea racional y no canse demasiado no basta con lograr desplazamientos cortos, también es necesario tener una altura de trabajo adecuada al cuerpo. Y ésta no sólo depende de la altura individual de cada persona, sino también del tipo de trabajo que se haga. Si no lo tenemos en cuenta el resultado será padecer dolores de espalda debidos a las malas posturas.

Desde hace tiempo, una altura uniforme de 86 cm ya no se considera la ideal para todos los casos. Una cocina con un diseño ergonómico correcto tiene diferentes alturas, entre 72 cm para las mesas y 95 cm para la encimera.

Las personas muy altas o muy bajas deberían ajustar estos promedios a sus necesidades individuales, en función de su altura. Elevar el nivel es relativamente fácil colocando los muebles sobre un zócalo adicional plano, hecho de tableros de virutas; para rebajar el nivel se corta el zócalo del mueble.

Alturas ergonómicamente favorables

Mesa para sentarse 72 cm

Nivel de cocina rebajado 81 cm

Altura de encimera normal 86 cm

Nivel de fregar elevado 91 cm

Nivel de preparación (altura de pie) 95 cm

La buena disposición de los electrodomésticos

No hay que desdeñar la disposición de los electrodomésticos. Para los diestros, la secuencia aconsejable es la siguiente: armario alto, nevera, encimera para preparar y colocar de unos 120 cm de ancho, lavavajillas, fregadero, encimera para trabajar, de entre 60 y 90 cm, cocina, y un espacio para colocar ollas y sartenes de por lo menos 30 cm. Esta disposición requiere una superficie de unos 540 cm de largo para montar los muebles. En la mayoría de las cocinas, no disponemos de tanto espacio en una misma pared, por lo que la fila de muebles deberá repartirse pasando por un rincón o por dos paredes paralelas.

Elegir el emplazamiento adecuado para la nevera, el horno y el microondas también forma parte de una disposición de los electrodomésticos ergonómica y cuidada. Si se integran en un armario alto, a la altura de la encimera, ya no es necesario agacharse. En las combinaciones de nevera y congelador, la nevera siempre debería ir arriba porque se utilizará con más frecuencia. También en los armarios de base es preferible elegir los que estén equipados con cajones. Para poder aprovechar mejor las esquinas existen armarios giratorios que permiten un fácil acceso a su contenido.

La planificación de cada cocina también obedece a determinadas medidas de referencia. Los lavavajillas, las cocinas, las neveras y los congeladores normalmente tienen 60 cm de ancho. Los muebles de cocina se construyen a partir de tamaños modulares que incluyen siempre la medida de 60 cm. El módulo de 10 tiene anchos de cuerpos de 20, 30, 40, 50 y 60 cm, el de 15; de 30, 45, 60, 90, y 120 cm. También existen módulos mixtos con las medidas parciales de 20, 30, 45, 50 y 60 cm. Mediante la hábil combinación de los módulos podrá aprovechar al máximo cualquier planta de cocina sin dejar espacio muertos.

Por otra parte, en los armarios de pared que suelen quedar a una altura de 50 cm aproximadamente sobre la encimera, el dimensionado escalonado permite aprovechar de manera óptima el espacio disponible. Los armarios de pared pueden ser bajos; entonces sólo tendrán una altura de 45 a 56 cm. Los medianos miden 65 cm y, los más altos, de 85 a 110 cm. Para poder llegar a los compartimentos situados más arriba, generalmente necesitaremos un escalón o una pequeña escalera.

En las cocinas de techos altos de los pisos antiguos, el espacio libre entre los armarios de pared y el techo se puede aprovechar colocando armarios que sirvan de altillo, de 33 a 35 cm de altura, para guardar cosas que no se utilizan muy a menudo.

En los armarios de pared, las puertas que se abren girando hacia arriba son más cómodas que las que se abren hacia delante.

Ahorro de energía

Si al reformar la cocina desea comprar nuevos electrodomésticos, deberá comparar detenidamente el rendimiento y el gasto de energía de los distintos modelos para tomar una decisión económicamente correcta y al mismo tiempo respetuosa con el medio ambiente.

Con una planificación sensata puede contribuir a no malgastar energía. Así, no debería colocar nunca el frigorífico cerca de fuentes de calor. Si resulta imposible cumplir esa regla básica es necesario colocar un aislamiento térmico adecuado (por ejemplo, con una placa de fibra mineral de 4 cm).

Las herramientas más importantes

A continuación, encontrará una breve descripción de las herramientas más importantes para construir y reformar una cocina. Las herramientas específicas que se requieren en cada paso se pueden ver detalladas en las ilustraciones o en los listados del apartado *Herramientas* que sigue a las correspondientes instrucciones de trabajo.

Herramientas eléctricas

Taladro percutor: preferiblemente con un rendimiento entre 600 y 800 vatios, regulación electrónica de velocidad y marcha derecha-izquierda. También es recomendable un portabrocas desmontable para que la máquina resulte más manejable a la hora de atornillar. Con esta máquina podrá efectuar todos los trabajos comunes de taladrar y atornillar.

Martillo perforador: el ligero martillo perforador de 2 kilos es imprescindible para efectuar taladrados más grandes o en cantidad en el hormigón.

Sierra circular de mano: es necesaria para los trabajos de construcción de muebles y obras interiores con madera y otros materiales derivados.

Sierra de calar: esta herramienta permite efectuar cortes circulares y curvos. Es preferible elegir una sierra de calar con movimiento pendular, ya que permite avanzar más rápidamente en el corte.

Lijadora vibratoria: con ella ahorrará tener que hacer un gran esfuerzo físico y tiempo a la hora de lijar las superficies de madera, barniz y tablones de yeso y cartón, incluidas las superficies enmasilladas. Son preferibles las máquinas que tienen aspiración de polvo integrado.

Atornillador con acumulador: esta herramienta es ideal por su manejabilidad. Es más aconsejable un equipo con el acumulador separable que fijo e integrado.

Complementos para las herramientas eléctricas

Fresa para enchufes: los cortes perfectamente circulares para poner enchufes, interruptores y salidas de tubos se pueden hacer rápida y fácilmente con esta herramienta adicional que se monta en el portabrocas. También es muy útil para madera, materiales a base de madera y tablones de yeso y cartón.

Cortadora circular: los cortes perfectamente circulares en las baldosas se consiguen con una cortadora circular de ajuste continuo, equipada con una punta de metal duro. Se puede emplear tanto en losa como en gres. ¡A utilizar exclusivamente empleando un casco protector!

Broca de diamante: a diferencia de la broca de cincel común, la broca de diamante posee una punta muy afilada. Es ideal para taladrar baldosas.

Broca de cincel: esta broca se utiliza para taladrar materiales duros como el hormigón o el ladrillo duro. En un taladro percutor funciona como un cincel en rotación.

Broca espiral: principalmente, se utiliza para taladrar metales. La calidad del acero es decisiva para su vida útil, por lo que las brocas más económicas pueden salir muy caras a corto plazo. Para los plásticos se venden brocas espirales con una ranura receptora de la viruta más empinada.

Broca para madera: este tipo de broca se parece a la broca espiral y se caracteriza claramente por su punta de centrado. Evita que la broca se desvíe.

Bancada para taladro: cuando el objetivo es la precisión, para taladrar en ángulo recto o tallar una rosca, la bancada para taladro es una buena ayuda. Asegura un taladro perfectamente recto y también puede utilizarse con la cortadora circular.

Herramientas para trabajar tablones de yeso y cartón, y materiales de aislamiento

Cuchillo para materiales de aislamiento: es similar a un machete y tiene una hoja expresamente mellada con la que se pueden cortar muy bien las placas de lana mineral.

Grapadora: se presta para fijar esteras con listón lateral, películas antivapor, revestimientos de tela y tapicerías. En los comercios, se encuentra en versión manual o eléctrica. Las grapadoras eléctricas permiten ajustar con exactitud la fuerza del golpe.

Cutter: hay que son de cuchilla recambiable o que se rompe; sirven para iniciar el corte en los tablones de yeso y cartón.

Serrucho: los tablones de yeso y cartón más gruesos, y también los combinados de yeso y cartón, se cortan con el serrucho. Éste sirve para elaborar ranuras, huecos circulares o cualquier otra forma de rebaje en la madera, materiales derivados y tablones de yeso y cartón.

Escofina punta: esta herramienta es un taladro extralargo para madera, cuyo vástago viene equipado de un dentado de escofina. Sirve para trabajar entalladuras, agujeros circulares y todo tipo de formas en la madera, materiales derivados y tablones de yeso y cartón.

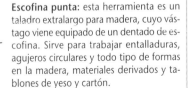

Espátula con mango: sirve para enmasillar juntas o agujeros con yeso u otro material de relleno; a veces también sirve de rasqueta.

Esponja de lijar: es la variación moderna del taco de lijar, pero con una ventaja: el polvo resultante de lijar se puede quitar simplemente lavando la esponja, para a continuación seguir lijando.

Nivel de burbuja: es imprescindible para colocar las estructuras para tabiques, puertas y también muebles o armarios de pared. Los niveles más largos son más precisos que los cortos.

Herramientas para trabajar las superficies

Brocha: sirve para aplicar la imprimación y repartir la cola para empapelar. Cuando se trata de una imprimación que contiene disolventes, ¡sólo debe utilizar brochas de cerda natural!

Rodillo de radiador: como indica su nombre, es muy práctico para pintar los radiadores, y también para dar una capa previa en los rincones de las paredes y techo, así como para aplicar la pintura de dispersión.

Rodillo de lana: para aplicar pinturas de dispersión en paredes y techos y para presionar el papel pintado estampado.

Mango telescópico: es un mango extensible sin escalonamientos, con un cono para encajar el mango de un rodillo de piel de cordero, con el que se puede pintar el techo desde el suelo.

Rodillo de espuma: sirve para aplicar barnices acrílicos que contienen agua. Deja la superficie estructurada, rugosa del tipo piel de naranja. También sirve para aplicar fijaciones para moquetas.

Bandeja de pintar: es una bandeja plana de plástico, con una parte más profunda que sirve de recipiente para la pintura y otra de fondo inclinado, en general con nervaduras, para desprendernos del exceso de pintura en el rodillo a la hora de pintar.

Trabajar y colocar ladrillos porosos

Por su estructura porosa, estos ladrillos pueden ser serrados, taladrados, cepillados y fresados con exactitud.

❶ **Serrar**: puede hacerse prácticamente con cualquier sierra.

Para procurar cortes lisos se utilizan sierras de hoja ancha con dentado grueso (p.ej. serrucho), y para *cortes con forma y redondos* es aconsejable utilizar una sierra de calar. Para trabajar una estructura más importante debería comprarse una *sierra para ladrillo poroso* con dientes de Vidia y también una *escuadra de trazar.*

Los ladrillos porosos tienen entre 5 y 37,5 cm de grosor. Esto significa que al serrarlos tendremos que vigilar no sólo la longitud exacta, sino que además el corte quede perfectamente en ángulo recto también en profundidad (y/o anchura). Lo mismo sucede si el corte en longitud se efectúa, para piezas moldeadas, inclinado o en redondo.

Con un lápiz, marque el lugar del corte en el ladrillo y complete la línea utilizando una escuadra apropiada —que puede ser un ladrillo plano— por ambos lados. Así tendrá una línea guía que le garantiza el corte en ángulo recto.

❷ **Lijar, escofinar, fresar**: estos trabajos manuales se realizan con más rapidez y de manera más fácil que trabajando la madera. Un papel de lija de grano grueso o, mejor aún, una plancha especial para lijar, son imprescindibles para trabajar el ladrillo poroso, para alisar superficies rugosas y efectuar todas las tareas preparatorias para el tratamiento de la superficie. El papel de lija grueso también sirve para «dar forma» al material, como por ejemplo redondear un canto o perfeccionar un corte de sierra. Una escofina para madera o una lima serán muy útiles para trabajos de moldeado más fino. Por ejemplo, las rozas para albergar los cables eléctricos se pueden hacer estirando un destornillador robusto o un formón a lo largo de un listón de madera (que sirve de guía) y marcando de este modo la estría. Para trabajos más importantes, utilice el rascador de estría para ladrillo poroso.

❸ **Taladrar**: para ello es suficiente disponer de un taladro manual simple. Por supuesto, también puede utilizar su taladro eléctrico, pero sin emplear la función de percutor. Puede elaborar fácilmente las aperturas para las tomas de corriente con la broca para cajas de enchufes.

Realizar cavidades, cortes y rebajes: marque el ancho y la profundidad de la cavidad. A continuación, efectúe un corte en cada extremo del ancho de la cavidad prevista hasta llegar a la profundidad que ésta tendrá. Después, haga más cortes en medio de los dos primeros. Ahora puede ahondar el rebaje con un formón viejo y alisarlo a continuación con papel del lija o una escofina.

Piezas a medida o formas especiales

❹, ❺. **Formas simples**: si se trata de piezas únicas, dibuje la forma que desea directamente sobre el ladrillo. Si son varias piezas iguales, confeccione primero una plantilla de cartón; a continuación, trace su silueta en todos los ladrillos y corte, lime, frese o rasgue el ladrillo hasta conseguir la forma dibujada.

Formas en un *aparejo de ladrillos:* cuando necesite varios ladrillos para realizar una forma, como una escalera curva o un arco más grande, disponga los ladrillos planos sobre el suelo, respetando el aparejo de ladrillos. Dibuje el perfil y enumere los ladrillos para su posterior montaje.

❻. **Montar bloques de ladrillos y sillería**: por supuesto, también puede construir anchos bloques de pared y sillería con ladrillos porosos, por ejemplo, para fabricar un bloque de trabajo en el centro de la cocina, o para montar columnas o un zócalo resistente para los muebles de cocina (véase instrucciones de trabajo en la página 52).

CONSEJO PROFESIONAL

Para construir un sillar tiene que montar un aparejo de ladrillos no sólo a lo ancho sino también en profundidad. Al hacerlo, pegue todas las superficies entre sí.

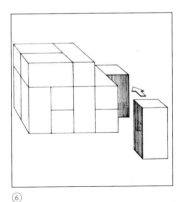

Pegar baldosas

①

El procedimiento moderno de capa delgada convierte la colocación de baldosas en una tarea muy sencilla, por lo que sólo explicaremos algunas particularidades relacionadas con los sustratos específicos y sus requerimientos.

❶ Para obtener una imagen armónica al *alicatar* debería empezar por el centro de la superficie a cubrir e ir avanzando hacia los extremos, para que el revestimiento tenga las juntas iguales en ambos lados de la pared. Las uniones con la pared siempre se elaboran al final.

②

❷ A la hora de alicatar la franja que va sobre la encimera podemos fijar un listón que marque el tope y que facilita el trabajo; a partir de éste empezamos a colocar el revestimiento de la pared. Normalmente se fija de manera que la primera *fila de baldosas* acabe por debajo del nivel de la encimera, lo que permite una unión de fácil mantenimiento. Combinando con unas *cruces de juntas* se puede conseguir sin problemas unas juntas de aspecto muy regular.

③

❸ Al pegar las baldosas, el adhesivo sólo se aplica en una superficie parcial de 1 a 1,5 m²; después se colocan las baldosas en el lecho de adhesivo recién aplicado.

Al reformar una vivienda antigua muchas veces nos encontramos que las paredes y muros ya tienen baldosas. Desgraciadamente, éstas no suelen cumplir las necesidades actuales y con frecuencia están dañadas. Si pegamos *baldosas sobre baldosas* nos ahorramos quitar las viejas, trabajo que siempre conlleva mucho ruido, suciedad y esfuerzo.

Mientras que en el caso de *baldosas viejas sin esmalte* podemos trabajar con un adhesivo de dispersión que se vende para tal uso, para las *baldosas viejas esmaltadas* aconsejamos emplear adhesivo en polvo.

CONSEJO PROFESIONAL

Para asegurar que el adhesivo se pegue bien sobre las baldosas viejas, primero es aconsejable limpiarlas cuidadosamente con un detergente antigrasa. Si se trata de un material esmaltado, deberíamos agrietar la superficie con el martillo de alicatar para mejorar la base de adhesión del pegamento.

Sellar juntas sanitarias y de unión

Las juntas sanitarias tienen que ser estancas y al mismo tiempo compensar de manera elástica los movimientos de los diferentes soportes. Para ello, el *llagueado elástico permanente* debe adherirse en los cantos, pero no en el soporte. Es la única manera para que pueda moverse elásticamente sin romperse. Para conseguir una adherencia segura es importante que los bordes de las juntas estén limpios y sin grasa.

❶ La junta se rodea por ambos lados de cinta adhesiva, con la anchura deseada, para el *sellado* entre ambas tiras. El ancho de la junta se puede predeterminar además con un corte inclinado de la punta del cartucho de inyección. La pistola con el cartucho se conduce lenta y continuamente, sin interrupción y ejerciendo un suave movimiento de bombeo, siguiendo las cintas adhesivas.

❷ El cordón que hemos colocado de esta forma se alisa con el dedo previamente humedecido con agua y jabón. A continuación, se pueden quitar las cintas adhesivas y acabar de alisar la junta con el dedo mojado. También se puede utilizar un alisador de juntas universal en forma de espátula, con el que se podrá formar la junta sin antes colocar cinta adhesiva.

①

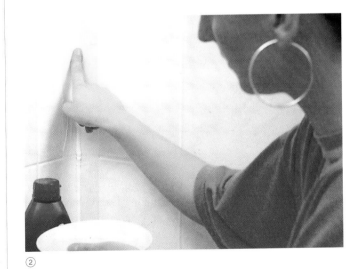

②

Montar tarimas

①

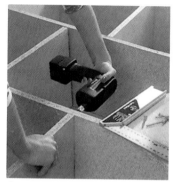

②

③

Con una tarima no sólo realizará un trabajo interesante para la cocina desde un punto de vista de diseño; también podrá solucionar problemas de cables y tuberías de forma sencilla, al igual que si decide colocar en el centro de la estancia un bloque con la cocina y el fregadero. En ambos casos bastará con elevar el nivel del suelo unos 20 cm, lo que se puede conseguir con un sólo escalón.

Para hacer una tarima más elevada da buen resultado planificar una pequeña antetarima en lugar de un estrecho escalón, desde la que acceder a la tarima en sí, ahora mediante un escalón de 20 cm de alto como máximo. De esta manera obtendrá una apariencia generosa de uso práctico y seguro y un escalonamiento ergonómico de la altura que también es aplicable a tarimas de 40 cm, siempre y cuando tenga el espacio necesario para ello.

❶ La estructura de soporte para una tarima de este tipo se realiza con tableros de virutas (19 cm de grosor), formando una retícula cuyas dimensiones deberían ser 25x40 cm aproximadamente, alternando los travesaños por media celda. Con ella, también facilitará el montaje y proporcionará un apoyo más repartido al tablero superior que se atornillará a la misma.

❷ Las franjas de tablero de virutas se colocan con tornillos de sujeción rápida de rosca cortante (5x60) y añadiendo cola, de manera que formen una cuadrícula estable. Es muy importante que las respectivas filas de cuadrículas estén montadas en ángulo recto y tengan una alineación uniforme. Es la única manera de asegurarnos de que después, al atornillar el tablero sobre la estructura, podamos volver a encontrar los travesaños. Por ello merece la pena trabajar con esmero y utilizar la escuadra y el metro, aunque después la estructura de soporte no quede a la vista.

Si entre las paredes de las celdas tienen que ir tuberías, por motivos de aislamiento acústico conviene cortar ampliamente los huecos para permitir el paso de los tubos. De este modo, al no estar los tubos en contacto directo con la construcción, no propagarán el sonido por toda la estructura sólida.

❸ El anclaje en el suelo se realiza mediante escuadras o con trozos de listones atornillados a las paredes de las celdas, que posteriormente se fijan al suelo con tacos y tornillos. Para mejorar el aislamiento acústico puede pegar tiras de fieltro en el suelo para que la estructura no esté en contacto directo con el mismo.

❹ Finalmente, toda la construcción se cubre con un tablero de virutas robusto. El grosor necesario depende del tamaño y del esfuerzo que tenga que soportar la tarima. Para una tarima pequeña de unos 5 m² de superficie debería bastar con un tablero sólido de virutas de 19 mm. Si el tablero es más grande tendrá que utilizar un tablero de 38 mm de grosor.

❺ Muchas veces no podrá cubrir toda la estructura con un sólo tablero. La estabilidad necesaria en las juntas entre los tableros se consigue mediante una ranura en los cantos que permite pegar los tableros entre sí introduciendo una tira de madera contrachapada.

Con los tornillos de sujeción rápida bien avellana-

dos, el tablero para cubrir se atornilla encima de la estructura de soporte cada 40 cm. Se debería dejar una distancia de 5 mm con el muro para llenarla posteriormente con material aislante.

Si desea cubrir la tarima con una moqueta tendrá que enmasillar cuidadosamente todas las cabezas de los tornillos y juntas. Si quiere poner un revestimiento de baldosas puede prescindir de esta medida, pero en cualquier caso debería emplear un adhesivo en polvo elástico.

④

⑤

41

Construir tabiques con tablones de yeso y cartón

①

②

③

Cuando se trata de hacer un cambio estructural o de conseguir una separación real del espacio entre el rincón de la cocina y el espacio para vivir, la solución más práctica será construir un ligero tabique de tablones de yeso y cartón.

Para llevarlo a cabo con éxito, la condición más importante es planificarlo bien de antemano con un plano a escala que contenga todas las medidas.

Todas las construcciones ligeras para hacer un tabique requieren una estructura de soporte que puede ser de madera o bien de perfiles metálicos; desde hace poco, estos últimos también están a la venta en las tiendas especializadas. En el ejemplo mostramos un tabique con una *estructura de soporte* de madera que a continuación se reviste por ambos lados con tablones de yeso y cartón reforzado con fibra, de 10 mm de grosor.

Primero fijamos un marco por todo el perímetro, formado con una escuadra de madera de 6x6 cm que clavamos con tacos y tornillos en el suelo, paredes y techo. Para asegurar un buen aislamiento térmico y acústico, este bastidor de madera descansa sobre una junta de unión autoadhesiva que hemos pegado previamente en el soporte.

❶ Para que el tabique nos quede recto hay que colocar las maderas del bastidor en posición exactamente perpendicular.

❷ Sólo entonces podremos efectuar los taladros para el montaje de las maderas y anclarlas con unos tacos largos para bastidores. Resultan especialmente útiles los tacos para clavar, siempre y cuando el soporte tenga la estabilidad necesaria.

❸ Puesto que el tablón de yeso y cartón reforzado con fibra tiene una dimensión de 150x100 cm y que se coloca alternativamente en sentido longitudinal y transversal para evitar las juntas cruzadas, el bastidor se completará con largueros verticales de 6x6 cm a una distancia entre centros de 50 cm. Si tenemos una *madera de distancia* cortada a la medida de 44 cm de largo, evitaremos tener que medir continuamente, y además servirá de contrasoporte a la hora de fijar los largueros mediante tornillos largos e inclinados en las maderas del bastidor.

4 Si queremos construir un *tabique con una ventana de servicio* habrá que incluir un marco para tal fin. Será suficiente con unas maderas de formato 6x4.

5 Cortar los tablones es muy sencillo: basta con rajar la superficie con un cutter afilado, siguiendo una guía de acero, para marcar la zona de separación. A continuación el tablero se puede romper fácilmente encima de un canto.

Para enmasillarlos mejor, achaflane los cantos de rotura con un taco de lijar; después puede atornillar el tablón a la estructura de soporte con tornillos de sujeción rápida.

6 Una vez se ha revestido el primer lado, para obtener un mayor aislamiento acústico se puede llenar la estructura con placas de fibra mineral de 40 mm de grosor. Finalmente, se reviste la segunda cara y se enmasillan las juntas y cabezas de los tornillos para luego poder empapelar, alicatar, pintar o revocar.

④

⑤

⑥

Construir un falso techo

En las viviendas antiguas a menudo tenemos un techo tan alto que, tanto desde el punto de vista del diseño como de los gastos de calefacción, es aconsejable construir un falso techo intermedio. Con los tablones de yeso y fibra o de yeso y cartón, esto no supone ninguna dificultad, y tampoco afecta a la estabilidad.

Además, la estructura de soporte puede ser tanto de madera como de perfiles metálicos.

❶ Cuando ponemos una *estructura de soporte metálica,* actualmente la preferida de los aficionados, los *perfiles de base* se colocan a una distancia de aproximadamente 80 cm entre sí, mediante las piezas específicas para colgarlos al techo original. Las piezas actuales de anclaje tan sólo necesitan una profundidad de 50 mm, así que en general evitamos posibles problemas con la armadura de acero del techo. Además, estos anclajes sólo necesitan unos taladros de 6 mm de grosor.

❷ Las piezas de anclaje acodadas se sujetan de forma centrada; de esta manera evitamos un par de vuelco indeseado.

Las piezas específicas para colgar los perfiles del techo se componen de dos partes; una se fija en el techo, la otra se atornilla en el mismo perfil. Ambas partes tienen varios orificios taladrados en el centro y se unen mediante un pasador.

❸ De esta manera tenemos la posibilidad de regular con precisión la estructura de forma que quede perfectamente horizontal.

❹ Una vez se han montado y alineado los perfiles de base se colocan los *perfiles de soporte.* La unión entre el perfil de base y el de soporte se hace con unas piezas de racor especiales que se afianzan mediante remaches ciegos. Una vez acabado el montaje deberíamos volver a comprobar si la construcción es plana y horizontal; todavía estamos a tiempo de corregir pequeñas desviaciones.

❺ Si queremos mejorar al mismo tiempo el aislamiento térmico y acústico, antes de colocar el revestimiento la estructura de soporte recibirá una capa de placas de fibras minerales que llegue hasta las paredes.

6 La estructura de soporte acabada se puede revestir, por ejemplo, con tablones de yeso y fibra que se fijan con tornillos de sujeción rápida en los perfiles del soporte, avellanando bien las cabezas de los tornillos. Para atornillar los tablones, necesitaremos que un ayudante soporte el extremo del tablón suelto mediante una escoba o un palo acabado en forma de T. ¡Deben evitarse las juntas cruzadas a toda costa! Antes de montar los tablones, hay que achaflanar todos sus cantos para poder enmasillarlos correctamente.

Finalmente, el techo revestido se enmasilla y se lija repetidamente en las zonas de unión y sobre los tornillos hasta que quede perfectamente plano. Si antes se han colocado los correspondientes cables eléctricos, ahora resultará muy sencillo integrar unas lámparas halógenas en el techo.

Una vez el techo esté bien seco se puede aplicar un fijativo penetrante y a continuación empapelarlo con un papel pintado de fibra de grosor media, por ejemplo, u otro papel con un expresivo estampado para darle un diseño más personal.

④

⑤

⑥

45

Una cocina atractiva en un espacio reducido

MATERIALES

Baldosas de gres, pegamento para baldosas, adhesivo epoxi, cruces de juntas, mortero de juntas, sellado para juntas sanitarias, fregadero de acero fino, tablero de virutas con laminado especial de imprimación, papel pintado estampado, cola de empapelar, pintura para muros, barniz acrílico satinado.

HERRAMIENTAS

GRADO DE DIFICULTAD

| 0 | 1 | 2 | 3 |

ESFUERZO FÍSICO

| 0 | 1 | 2 |

TIEMPO DE TRABAJO

25 horas aproximadamente para la estancia, y 20 horas aproximadamente para los muebles.

AHORRO

Haciéndolo usted mismo puede ahorrarse aproximadamente 769 €.

La mayoría de los pisos pequeños tienen una desventaja: la cocina es demasiado pequeña, y además muchas veces está amueblada de forma poco apropiada.

❶ Con una superficie de apenas 4 cm^2 esta cocina compacta ofrece mucho confort en un espacio mínimo. Los muebles de fabricación propia, desde la mesa plegable en la ventana hasta el mueble-caja y las estanterías inteligentemente empleadas, proporcionan una cocina ergonómica y cómoda.

Para el suelo, dada la constante solicitación y la necesaria seguridad contra el deslizamiento, resulta idóneo el mosaico de gres blanco de formato 10x10. Las baldosas, unidas para hasta formar unas placas muy prácticas de 300x500 mm, se alinean en la dirección de la vista principal.

❷ Para la zona de las paredes entre la encimera y el armario también se puede emplear un mosaico de gres esmaltado, colocándolo mediante la técnica de pegado en capa delgada.

❸ Alguna baldosa decorativa rompe la monotonía haciendo más ligero el aspecto de las superficies. El resto de las paredes se cubren con papel pintado estampado.

❹ Una capa de pintura acrílica de color rosa, que con-

①

②

③

(4)

(5)

(6)

(7)

tiene agua, es respetuosa con el medio ambiente y, en este caso, realza el estampado y el juego de luces y sombras con los brillos y reflejos. El papel pintado obtiene una superficie expresiva y de fácil mantenimiento.

❺ Para aprovechar de forma óptima un plano concreto, obtendrá mejores resultados si fabrica los muebles a medida usted mismo. Para hacer los muebles-caja, y en caso de que tenga previsto colocar dispositivos empotrados, sólo será necesario respetar las medidas estándar de anchura y profundidad. Por lo demás, puede guiarse por el espacio de que disponga.

En este caso el objetivo era una cocina con colores; por ello se eligió para los muebles un tablero de virutas con laminado especial de imprimación, que ofrece las mejores condiciones para su posterior pintado.

❻, ❼ Ahora puede unir los cuerpos para los muebles mediante espigas y pegarlos utilizando cola de madera, aplicándola tanto en los tacos como en las superficies de contacto. Con una plantilla para espiga conseguirá que los orificios encajen perfectamente.

8, **9** A continuación, ensamble el cuerpo golpeándolo con un martillo sobre un trozo de madera a modo de protección. Mantenga los elementos unidos mediante prensatornillos hasta que la cola se haya secado.

10 Para hacer la apertura del fregadero comience taladrando cuatro agujeros; a continuación puede serrar el contorno con la sierra de calar.

11, **12** El revestimiento de baldosas de gres esmaltadas proporciona una encimera de mantenimiento fácil. Para que posteriormente la humedad no se introduzca en el tablero de virutas a través de las juntas, efectuaremos el pegado y posterior llenado de juntas de las baldosas con un adhesivo de dos componentes.

13 La superficie con laminado especial de imprimación se pinta con un rodillo para tal fin. El barniz acrílico de acabado satinado hace que la superficie sea de fácil mantenimiento.

14 La campana extractora sobre el área de la cocina puede esconderse en el interior de una caja de tablero de virutas, en cuya pared

⑧

⑨

⑩

⑪

49

(12)

(13)

(14)

(15)

frontal podemos integrar unos estantes para colocar especias y un reloj.

⓯ También resulta muy práctico el pequeño estante que está al lado, en cuyo fondo se esconde un atril para recetas montado con una bisagra de varilla. Se libera al extraer un botón de madera redondo y se abre girando hacia abajo. Además, también se puede integrar una pequeña lámpara en la cara inferior del estante.

Aunque hacer personalmente el montaje de nuestra cocina requiere trabajo, siempre merecerá la pena; porque no podremos comprar en ningún sitio una cocina que se adapte con tanta precisión a la planta de que disponemos. La mesa plegable delante de la ventana incluso ofrece suficiente espacio para comer dos personas y, una vez plegada, permite trabajar delante de la cocina. El microondas colgado en la pared al lado de los fogones amplía las posibilidades de una cocina que sólo tiene dos placas calentadoras.

El fregadero de acero fino resulta muy cómodo; un calentador continuo de regulación electrónica suministra el agua a la exacta temperatura tibia o caliente que se haya elegido.

Una cocina rústica con muebles de mampostería

①

MATERIALES

Baldosa de gres, pegamento de dispersión y en polvo, mortero para juntas, ladrillos planos porosos, tacos para ladrillos porosos, revoque rústico, tablero de virutas de 16 y 19 mm, cola para madera, espátula para barniz, espátula para dos componentes, barniz, cinta textil autoadhesiva.

HERRAMIENTAS

GRADO DE DIFICULTAD

| 0 | 1 | 2 | 3 |

ESFUERZO FÍSICO

| 0 | 1 | 2 | 3 |

TIEMPO DE TRABAJO

Según las dimensiones de la estancia y de la extensión de las instalaciones, para esta cocina rústica debería contar entre 50 y 60 horas de trabajo.

AHORRO

Haciéndolo usted mismo puede ahorrarse aproximadamente 1.538 €.

❶ Cuando nos instalamos por primera vez en una casa generalmente tenemos problemas de financiación, por lo que resulta difícil comprarnos todos los muebles de cocina. Pero este problema se convierte en virtud cuando nos decidimos a prescindir de los muebles de cocina y optamos, en lugar de comprarlos, por construir una bonita cocina rústica.

En el ejemplo que presentamos, el espacio destinado a despensa se obtiene mediante unas columnas de ladrillos porosos que sirven de soporte para las baldas. Las puertas de construcción propia, colocadas entre los montantes, cierran la estructura. En lugar de colocar puertas de tableros de virutas cortados a medida y con un marco de listones, también se puede optar por unas puertas de láminas que se venden en el mercado y que tan sólo habrá que barnizar.

❷ Como todas las cocinas, también esta cocina rústica de ladrillo poroso requiere una buena preparación. Para tener una buena vista de conjunto sobre el espacio disponible y la posición de las columnas se debería marcar el futuro emplaza-

②

③

④

(5)

miento de las mismas con cintas adhesivas en el suelo.

❸ La cocina rústica se alicata en la zona de la pared sobre la encimera; un listón recto clavado en el muro sirve de tope inferior. Empleando cruces de alicatado conseguiremos unas juntas limpias y regulares.

❹ Para conjuntar el estilo de las baldosas de la pared, hemos alicatado el suelo con un mosaico esmaltado que por su alto porcentaje en juntas resulta muy antideslizante, incluso cuando está mojado.

❺ Para obtener un entramado estable, eleve los montantes de ladrillo poroso la distancia prevista empleando mortero para tal fin y colocando las juntas alternas. Una vez se haya secado el pegamento puede enmasillar los posibles huecos y aplicar un fijativo penetrante sobre los montantes.

❻ Para anclar bien los soportes de las baldas y las bisagras, servirán los tacos para ladrillo poroso que se introducen en los orificios previamente taladrados. La encimera se fija de la misma manera.

(6)

Las columnas de mampostería pueden revestirse de diferentes maneras. Por ejemplo, puede cubrirlas con baldosas. Las juntas de baldosas que queden abiertas pueden servir de apoyo para placas de cristal alambrado o chapa de acero fino cortadas a medida, que serán unas baldas fáciles de limpiar.

Aquí se utiliza un revoque rústico de un grosor medio que también se aplica en las paredes.

❼ El material es fácil de trabajar y se aplica desde abajo hacia arriba sobre las superficies a tratar. Los componentes de granos más gruesos proporcionan un grosor de capa uniforme. Inmediatamente después, la superficie cubierta de revoque rústico se trabaja con un fratás de plástico: los granos más gruesos forman automáticamente una estructura decorativa en el muro. Según se mueva el fratás en círculo o linealmente, se obtendrá una estructura de revoque específica.

❽ Las terminaciones frontales son simplemente de tablero de viruta cortado en ángulo recto a la medida necesaria, duplicados en

⑦

⑨

⑧

⑩

grosor los cantos exteriores con un marco formado por franjas ingleteadas y pegadas.

❾, ❿ En una cocina de este estilo, el espacio sobre la encimera puede emplearse como despensa adicional montando unos estantes barnizados. Si en cambio no necesita tanto espacio para despensa, queda muy bien

una falsa chimenea. Ésta se realiza a partir de un tablero de viruta cortado a medida y se atornilla con listones de sujeción.

⓫ Se enmasillan cuidadosamente las cabezas de los tornillos.

⓬ Debido al clima húmedo y caliente de la cocina, las superficies de los tableros de

(11)

(12)

virutas necesitarán un cuidadoso tratamiento en la superficie. Así, antes de darles la capa de aceite de imprimación en la superficie, recomendamos recubrir todos los cantos de corte con una masilla de dos componentes que se lija una vez seca.

13, 14 La parte superior de la chimenea se cubre de forma rústica con un revoque del mismo estilo. Después podrá pintar de blanco todas las superficies del tablero con pintura preliminar.

La capa final se realiza con laca alquídica de alta resistencia, elegida para hacer juego con las baldosas en blanco y azul.

Para embellecer las puertas también puede realzarlas con una banda de color blanco. Además, el sistema de montantes permite integrar tanto una cocina como una nevera. La puerta de la nevera podrá tener el mismo color que las demás, o bien ocultarse detrás de una puerta antepuesta para dar mayor uniformidad al conjunto. En las tiendas especializadas podrá comprar bisagras telescópicas que permiten abrir la puerta de la nevera conjuntamente con la postiza.

(13)

(14)

Una cocina grande con zona de comedor elevado

①

②

La cocina de un piso viejo, a menudo del tamaño de un salón, ofrece el espacio más amplio para quien desee replanteársela con un diseño completamente nuevo. Muchas veces el espacio disponible es muy superior al que se necesita para las tareas de cocina propiamente dichas. Esto se debe, entre otros motivos, a que antiguamente la cocina no sólo era un lugar de trabajo sino que también servía de punto de encuentro para la familia. Por lo tanto resulta relativamente sencillo transformar esta cocina en un moderno espacio cocina-comedor, donde una separación arquitectónica puede diferenciar claramente los espacios dedicados al trabajo y a la comunicación sin que por ello dejen de estar integrados.

En el ejemplo que mostramos, la división cocina-comedor se consiguió gracias a un escalonamiento. La zona de trabajo se encuentra al nivel de la antigua cocina, mientras que el espacio para sentarse se ha elevado un escalón. No sólo resulta atractivo sino que también tiene ventajas prácticas: desde el suelo alicatado de la zona para trabajar es más difícil arrastrar

MATERIALES

Mosaico de baldosas y baldosas para el suelo de gres esmaltado, adhesivo de dispersión y en polvo, mortero para juntas, listones de 6x4 y 3x5 cm, tablones de yeso y cartón de tamaño reducido, masilla para juntas, fijativo penetrante, anclaje de brida, piezas de descuelgue, tornillos de sujeción rápida, tablero de virutas de 16 y 19 mm, escuadras, tacos de nilón, moqueta, adhesivo para moquetas, laca y adhesivo termoplástico.

HERRAMIENTAS

GRADO DE DIFICULTAD

0	1	2	3

ESFUERZO FÍSICO

0	1	2	3

TIEMPO DE TRABAJO

Para esta reforma integral de una cocina vieja necesitará, según las dimensiones de la estancia, entre 100 y 120 horas.

AHORRO

Haciéndolo usted mismo puede ahorrarse entre 2.560 y 3.072 €

la suciedad hasta la moqueta de la zona para sentarse. Al limpiar la cocina con agua, la moqueta permanecerá siempre seca.

También el falso techo del espacio destinado a comedor contribuye a la reestructuración de la estancia. Disminuye la altura del techo de la cocina antigua y crea comodidad.

❶ Para que la estancia resulte clara y tenga un toque alegre predominan los colores blanco y tonos pastel. Con las placas de baldosas pegadas sobre entramado, el trabajo avanza rápido y las juntas salen muy regulares. Al colocar una nueva placa es preciso vigilar que la anchura de las juntas siga siendo la misma. Las placas se pegan con adhesivo de dispersión directamente sobre el revoque.

❷ Para el suelo de la zona de trabajo, al igual que para la encimera, se han empleado baldosas de gres blancas con esmalte mate de 10x10 cm. También sirven para revestir los zócalos de los muebles de manera, de modo que obtenemos un suelo de muy fácil mantenimiento. La barra de tablero de virutas que separa la zona de trabajo del co-

③

medor se recubre con las mismas baldosas.

Según el procedimiento descrito en la página 44, primero se realizó el falso techo en la zona del comedor y se levantó el suelo con una tarima de 20 cm de altura (véase el apartado *Montar tarimas*, página 40).

Para conseguir el efecto de separación espacial y al mismo tiempo mejorar el aisla-

miento acústico, la tarima se reviste de una moqueta de color gris claro completamente sintética y repelente a las manchas.

❸ Puesto que este revestimiento será fuertemente solicitado en la zona para sentarse –por el movimiento de las sillas– es aconsejable pegar la moqueta por toda la superficie.

④ ⑤ ⑥

❹ Los cantos redondeados de la tarima garantizan que en esta zona el revestimiento se ciña perfectamente al soporte y se pueda pegar bien en todo el canto.

Por motivos de ahorro, en este ejemplo se han aprovechado los muebles viejos; sólo han sido sometidos a una reforma superficial.

Para ello, se lijan bien las superficies de plástico. Así se consigue una buena base para la pintura que hayamos previsto poner. Utilice un sistema de barnizado que pueda teñir, con un aditivo que se añade a la pintura en la última mano, del mismo color y que se adhiera bien a las superficies de materia plástica.

❺, ❻ Además, las puertas de los armarios cambian de aspecto con los listones de perfil pegados. Para que el adhesivo termoplástico tenga una buena adherencia, antes del barnizado la superficie donde se pegarán los perfiles se recubre de cinta adhesiva. Para decorar las puertas y fachadas se utilizan listones para papel pintado que se ingletean cuidadosamente con una sierra de dentado fino.

Por último, damos una capa de laca blanca de satinado mate.

El montaje se realiza de manera sencilla y segura con adhesivo termoplástico; por su rápido secado no es necesario aplicar medidas de sujeción, aunque esto también implica que los listones deben colocarse correctamente en el primer intento. Es importante repartir el adhesivo en una capa muy fina y regular sobre los listones, de manera que no haya excedente que se salga por los lados al colocarlos.

La persona que tenga el pulso lo suficientemente firme para ajustar los cantos barnizados, antes de pintar la superficie de la puerta puede optar por pegar los listones barnizados. Gracias a las baldosas, la pintura y los listones, los viejos muebles de cocina adquieren un aspecto completamente nuevo.

Una cocina-comedor en un estudio

①

②

③

Para muchas personas, sobre todo para los jóvenes, la vivienda se reduce a una sola estancia con un rincón para cocinar y un baño. Esto influye negativamente en el confort, y muchos solteros desean tener una cocina independiente. Como veremos en el siguiente ejemplo, que además ofrece soluciones sumamente prácticas, este deseo se puede realizar incluso cuando el espacio disponible es muy reducido.

Esta cocina de un piso de soltero está muy bien planificada. Tan sólo ocupa una superficie de 2x3 m². Queda separada del espacio para vivir mediante un tabique de construcción ligera en forma de L, con tablones de fibra de yeso montados sobre una estructura de soporte de madera.

❶ La construcción del tabique sigue el procedimiento descrito en la página 42, introduciendo una apertura de ventana a unos 75 cm de distancia respecto al suelo que une el espacio de cocina con la zona de vivienda propiamente dicha. No sólo sirve para pasar los platos y demás, sino también de espacio para trasladar a uno u otro lado una mesa extensiblle en forma de U.

MATERIALES

Escuadra de madera de 6x6 y 6x4 cm, tablones de fibra de yeso, tacos para bastidores, tornillos, placas de lana mineral de 4 cm, masilla para juntas, ladrillos porosos planos, mosaico de baldosas de gres, adhesivo de dispersión y en polvo, tacos para ladrillos porosos, tablero de virutas de 38 mm (encimera), 19 mm (mesa), 16 mm (chimenea), sellado para juntas sanitarias, papel pintado de fibra gruesa, cola especial para empapelar, pintura de dispersión mate (blanco), barniz acrílico (amarillo), revestimiento para suelos de PVC y adhesivo, chapa V2A o cristal alambrado para baldas.

HERRAMIENTAS

GRADO DE DIFICULTAD

0	1	2	3

ESFUERZO FÍSICO

0	1	2	3

TIEMPO DE TRABAJO

Para una cocina con una mesa extensible invertirá 80 horas aproximadamente.

AHORRO

Haciéndolo usted mismo podrá llegar a ahorrarse unos 2.045 €.

❷ De esta forma es posible tener la mesa en la cocina y pasarla a continuación por la apertura hacia el salón. Después de comer, la mesa se vuelve a empujar hacia dentro de la cocina, dejando el espacio libre. De este modo se ahorran desplazamientos innecesarios, y además el salón vuelve a estar arreglado en un abrir y cerrar de ojos.

❸ En esta cocina prescindimos de muebles prefabricados y aprovechamos el espacio disponible con estantes abiertos de ladrillos porosos, los cuales forman dos compartimentos de 60 cm de ancho para poder integrar la cocina y la nevera. El resto del espacio se reparte según las necesidades en compartimentos de diferentes tamaños.

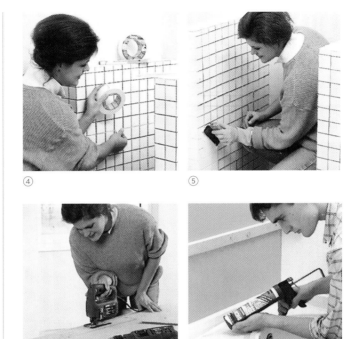

④

⑤

⑥

⑦

❹, ❺ Los montantes colocados con adhesivo para baldosas tienen una profundidad de 60 cm y están recubiertos por todas sus caras con un mosaico mediano esmaltado de formato 5x5 cm. Antes de cubrir las juntas, rellene una de cada cuatro de las mismas con un listón fino y fíjelo con cinta adhesiva. De esta manera conseguirá que esas juntas permanezcan abiertas; servirán para so-

portar unas baldas extensibles de chapa de acero fino de 2 mm de grosor cuyos compartimentos serán de unos 15 cm de alto.

Para conseguir mayor estabilidad en las baldas, refuércelas con un canto delantero. Para ello pegue en dicho canto, con adhesivo de dos componentes, un listón pintado de amarillo; obtendrá un acabado muy atractivo y al mismo tiempo le servirá de protección pa-

ra sus manos, que no entrarán en contacto directo con el canto metálico.

❻ Para la encimera se utiliza un tablero de virutas de 38 mm de grosor que es impermeable. Se corta el tablero a la medida que deberá cubrir. Se marcan las aperturas para la cocina y el fregadero con un patrón y a continuación se sierran. Deberá trabajar los contornos con exactitud para que

(8)

(9)

(10)

(11)

han escogido pinturas de color claro, por ejemplo blanco y un amarillo brillante y soleado. El dibujo en forma de rayas diagonales ayuda a conseguir el mismo efecto, aportando además un toque desenfadado.

Primero se pintan con rodillo los muros de blanco; después se colocan las tiras de cinta adhesiva para confeccionar las rayas diagonales amarillas.

❾ Con un rodillo pequeño para radiador, se aplica la pintura acrílica para las rayas.

❿, ⓫ Una cocina tan pequeña no puede prescindir de una campana extractora de humos. Su rendimiento necesario será el que permita que la campana recircule el volumen de aire de la estancia unas diez veces por hora.

En este ejemplo, la campana se esconde detrás de una falsa chimenea de tablero de viruta de 13 mm de grosor con estantes en ambos lados.

Esta construcción se sujeta con listones; en la figura 10 también se observa la fijación de los estantes que están montados a partir de un marco recubierto por ambos lados de madera contrachapeada.

la zona de los fogones y el fregadero tengan el suficiente soporte. Para que la elaboración de las esquinas resulte más sencilla, lo mejor es efectuar un agujero de 8 mm con el taladro en cada esquina; después, la hoja de la sierra de calar tendrá el espacio necesario para desplazarse.

Una vez terminado el montaje puede pegar en la zona de la pared sobre la encimera el mismo mosaico de baldosas que se ha utilizado para los montantes. Recuerde que tiene que dejar abierta la ranura necesaria para la ventilación de la nevera.

❼ La unión con el muro y la junta sanitaria entre la encimera y el fregadero esmaltado se cierra con caucho de silicona a prueba de agua.

❽ Para conseguir el efecto visual de cocina amplia se

Una cocina con bloque de trabajo en el centro

(1)

(2)

(3)

En una cocina como la del ejemplo, el principal problema es cómo hacer llegar las tuberías de agua, los cables eléctricos y el desagüe hasta el centro del espacio.

Conseguirlo es relativamente sencillo con una tarima, porque en su interior creamos el espacio necesario para dichas instalaciones.

❶ Antes de empezar con el montaje, el profesional deberá instalar todos los cables y tubos necesarios hasta el centro de la cocina. Una vez haya terminado podemos empezar con el montaje de la tarima. Se marcan en el suelo los contornos del bloque de la cocina y la tarima con cinta adhesiva, con lo que obtendremos una buena vista general de la distribución de la estancia y, de paso, estaremos a tiempo de hacer las correcciones necesarias.

❷ Es aconsejable empezar por el montaje del bloque de cocina; la mejor solución para alzarlo son los ladrillos porosos, siguiendo siempre el plano elaborado previamente. Para unir los ladrillos empleamos un adhesivo en polvo como el

MATERIALES
Ladrillos porosos planos, tablero de virutas de 19 mm, adhesivo en polvo, trozos de listones de 3x3 cm, tacos para bastidores, tornillos, maderas para zócalo de 4x10 cm, escuadras, baldosas para el suelo, adhesivo de dos componentes, fijativo penetrante, baldosas, cruces para juntas, blanco de juntas.

HERRAMIENTAS

GRADO DE DIFICULTAD

| 0 | 1 | 2 | 3 |

ESFUERZO FÍSICO

| 0 | 1 | 2 | 3 |

TIEMPO DE TRABAJO
Para reformar esta cocina de 10 m² aproximadamente necesitará unas 80 horas.

AHORRO
Haciéndolo usted mismo puede ahorrarse entre 1.790 y 2.048 €.

de la colocación de baldosas.

❸, **❹** Una vez terminado el bloque central, montamos a su alrededor la tarima de tablero de virutas recortado. Las paredes de las celdas, provistas según el trazado de cables y tuberías con sus correspondientes aperturas, se fijan entre sí con tornillos de sujeción rápida y se anclan al suelo con trozos de listones atornillados.

❺ Cuando se ha terminado la estructura de soporte de la tarima, se cubre con un tablero de virutas de 19 mm de grosor.

Para aquellas personas que deseen una cocina de mantenimiento especialmente fácil no conviene que monten los muebles directamente en la tarima, sino encima de un sólido zócalo hecho de madera de escuadra que sustituye a los zócalos de los muebles. Estas maderas se pegan encima de la tarima de tablero de virutas con cola hidráulica y además se sujetan con escuadras.

❻ Acabados los trabajos preparatorios, podemos alicatar la tarima. Para evitar de antemano el posible riesgo de que se introduzca agua, es aconsejable pegar las baldosas con un adhesivo de dos componentes que, al mismo tiempo, cumple la función de sellado. El suelo y el zócalo se llaguean con adhesivo de dos componentes; esto proporcionará unas juntas absolutamente herméticas, insensibles a las manchas y de fácil mantenimiento.

❼, **❽** El bloque de la cocina se trata primero con un fijativo penetrante y luego se alicata con un atractivo dibujo de rayas con losas que se venden en forma de bandas. Las baldosas se pegan con un

④

⑤

⑥

⑦

(8)

loza, y con las aperturas necesarias para la zona de los fogones y el fregadero. Se ancla encima del bloque central con tacos para ladrillos porosos. Los tornillos de fijación deben avellanarse muy bien para no que no interfieran en el posterior alicatado de la superficie.

9 Para conseguir una superficie impermeable al agua y de fácil mantenimiento, una vez montada la encimera se alicata con baldosas blancas. Para ello utilizamos adhesivo de dos componentes. En la superficie alicatada restante llenamos las juntas con blanco de juntas normal.

10 En la parte delantera del bloque, un nicho proporciona espacio para albergar, entre otras cosas, un calentador continuo con regulador electrónico que permite elegir una temperatura exacta de +30 a +55 ºC.

Con un bloque de cocina central se consigue una cocina totalmente funcional en un espacio muy reducido. Además, este planteamiento se convierte en una atractiva solución para cualquier hogar gracias a su fácil mantenimiento y a la comodidad de los cortos desplazamientos.

(9)

(10)

adhesivo de dispersión sobre el cuerpo de ladrillo poroso del bloque central.

La cubierta superior del bloque de la cocina consiste en un tablero de virutas hidrófugo de 19 mm de grosor, que se corta a una medida inferior a la del bloque, con el grosor de una

Una cocina confortable en un espacio reducido

①

Más de una persona desearía disponer de un par de metros más de espacio a la hora de reformar la cocina.

❶ Con una buen planificación y el equipamiento adecuado podemos reformar incluso una cocina tan minúscula como la que vemos en este ejemplo, de 198 cm de ancho y 250 cm de largo.

Dadas las estrechas dimensiones, resultan ideales las baldosas de fondo blanco de 10x10 cm, con alguna baldosa decorativa intercalada. Las placas de baldosas pegadas sobre un entramado per-

miten una rápida colocación y sólo requieren especial atención en las uniones, para que las juntas tengan la misma anchura.

❷ El plano muestra el planteamiento de la reforma a llevar a cabo.

❸ Después de haber limpiado las paredes de restos de papel pintado y pintura, las preparamos con un fijativo penetrante.

❹ A continuación se marca el inicio del embaldosado, que se encontrará aproximadamente a media baldosa por debajo del canto superior de la futura encimera.

❺ En una superficie parcial de 1m² aproximadamente, extendemos el adhesivo de dispersión y lo trabajamos con una espátula dentada para poder colocar a continuación las baldosas sobre el entramado en el lecho de adhesivo.

❻ Las baldosas decorativas aportan un toque decorativo y las colocamos en el lugar de una baldosa simple que hayamos quitado previamente.

❼ Una vez ha fraguado el adhesivo podemos llaguear

MATERIALES

Baldosas de gres, adhesivo de dispersión y en polvo, cruces para juntas, mortero para juntas, caucho de silicona, fregadero de cerámica, revoque rústico, fijativo penetrante, papel pintado de fibra gruesa, pintura para muros, tablero de virutas laminado, encimera de tablero de madera encolada, puertas de láminas, herrajes, patas para muebles, espigas estriadas.

HERRAMIENTAS

GRADO DE DIFICULTAD

0	1	2	3

ESFUERZO FÍSICO

0	1	2	3

TIEMPO DE TRABAJO

Esta reforma integral requerirá, dependiendo de la superficie de la estancia, entre 100 y 120 horas.

AHORRO

Haciéndolo usted mismo puede ahorrarse aproximadamente 2.048 €.

las juntas de color blanco. Todas las juntas de unión y de las esquinas deberán rellenarse de un material elástico permanente.

8 El suelo resulta muy solicitado sobre todo en cocinas pequeñas con forma de pasillo, por lo que las baldosas deben ser lo suficientemente robustas. Para ello, son adecuadas las baldosas de gres esmaltadas, de 20x20 cm, que pertenecen al grupo de abrasión IV. Su superficie mate y ligeramente rugosa asegura el antideslizamiento.

Antes de colocar las baldosas se vuelve a trabajar con la espátula dentada el lecho de adhesivo que se ha aplicado.

Las cruces para juntas garantizan que éstas tengan la misma anchura así como su entramado rectangular, lo que contribuye considerablemente en el aspecto final del revestimiento.

9 Es inevitable tener que cortar las baldosas. Para obtener trozos a medida sin desperdiciar el material debemos trabajar con precisión y disponer de una buena cortadora de baldosas.

Una vez se ha alicatado la superficie del suelo efectuaremos los cortes para los trozos de los bordes.

10 Partiendo de un zócalo, se bordea el suelo de la cocina, muy resistente, con las estrechas franjas recortadas de las baldosas, y luego se llaguea con gris para juntas.

11 Las baldosas claras y las zonas cubiertas de revoque rústico, así como las pare-

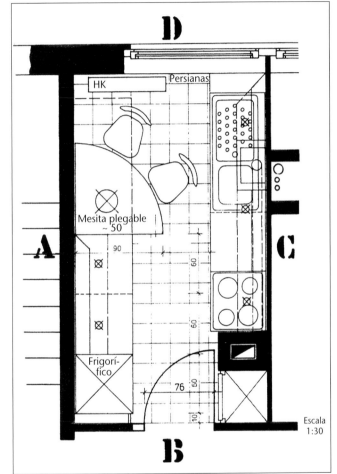

②

71

③

④

⑤

⑥

⑦

⑧

des y el techo de color también claro, proporcionan la sensación de amplitud. La estancia parece más grande que antes de la reforma.

El deseo de disponer de un rincón acogedor para comer se puede realizar con muebles de fabricación propia. Con ellos, el espacio disponible podrá aprovecharse de manera óptima, e incluso se podrá crear un cómodo lugar para el desayuno con una mesa plegable en forma de segmento.

Las persianas y la viva imagen de la madera encolada de la encimera y de la mesa contribuyen a que el ambiente resulte cómodo.

Los muebles que realizamos nosotros mismos no son necesariamente más

CONSEJO ECOLÓGICO

Si compra electrodomésticos nuevos asegúrese de que sean de bajo consumo y, en el caso del frigorífico, que esté exento de cloro fluorocarbono. Algunas compañías suministradoras de energía promocionan con subvenciones la compra de dispositivos que ahorran energía. Diríjase a ellas para informarse.

baratos que los prefabricados de serie. Sin embargo, ofrecen la posibilidad de aprovechar literalmente hasta el último centímetro el espacio disponible. Además, de este modo se pueden plantear la disposición del espacio y su equipamiento de forma realmente individual y ajustada a nuestras necesidades (véase el plano de la página 71).

Si desea empotrar los electrodomésticos, supone una ventaja que los tenga ya en casa antes de comenzar la reforma; así podrá ajustar con exactitud los armarios a los que irán integrados.

⑫ Construimos los muebles a partir de tableros de virutas laminados y conseguimos una unión perfecta con la ayuda de un amolador con un dispositivo para fresar láminas, así como de unas espigas planas elípticas.

⑬ Las paredes del fondo se apoyan en una ranura fresada en el suelo y el techo del propio mueble, y se fijan en los laterales entallados.

⑭ El perfil de plástico que se encola con la ayuda de

⑨

⑩

⑪

⑫

⑬

⑭

(15)   (16)

una plancha cubre los cantos de corte que quedan a la vista. Otra alternativa es pegar un reborde de madera maciza.

⓯ El excedente del canto se puede quitar de manera sencilla con un formón afilado.

⓰ La mejor forma de hacer el asiento para las bisagras es emplear el taladro montado en una bancada.

(17)   (18)

⓱ Las puertas de láminas prefabricadas y cortadas a medida se rematan con un reborde de madera maciza y se juntan con las bisagras. Un listón cuadrado colocado en la cara interior permite colocar tiradores detrás de las puertas.

⓲ Para que no se caiga todo al suelo al emplear los tiradores, las baldas extensibles llevan una barandilla de varillas cortadas a medida, con sus correspondientes uniones en las esquinas. Para fijarla a la balda utilizamos anclajes especiales y la plantilla para taladrar que acompaña al material.

(19)   (20)

⓳ Los pies de plástico, de altura regulable, que colocamos debajo del cuerpo del mueble proporcionan una estabilidad perfecta. Se clavan en el zócalo con unos ligeros golpes de martillo, utilizando una madera a modo de protección.

⑳, ㉑ Los muebles se disponen en fila y se alinean con el nivel.

㉒ Ahora puede revestir el zócalo abierto con un embellecedor para grapar, previamente cortado a medida.

Antes de terminar la encimera y atornillarla definitivamente con los soportes desde abajo, es aconsejable hacer una prueba para comprobar que todas las medidas son correctas y que encaja correctamente.

El hueco para el montaje del fregadero de cerámica se corta con la sierra de calar. Una guía de corte antiastillas introducida en la placa de base de la sierra evita, como su nombre indica, que el canto de corte se astille.

㉓ El fregadero de cerámica se integra, de manera funcional y elegante, en la encimera de madera maciza. Los estantes de madera son atractivos y útiles al mismo tiempo.

(21)

(22)

(23)

(24)

㉔, ㉕ También resulta acogedor y práctico a la vez la mesa plegable con el sobre en forma de segmento, a la altura ideal para sentarse. Cuando no se utiliza, una vez plegada contra la pared ya no quita espacio. La pata de apoyo queda doblada contra el sobre y no molesta.

(25)

75

Armario móvil y espacio para trabajar en la cocina

①

En muchas cocinas no disponemos de espacio para montar una mesa, y a menudo también falta espacio para colocar los armarios adicionales tan necesarios, debido a la mala distribución de las puertas, ventanas y radiadores. En este caso, la solución será una tarima de trabajo móvil. Un bloque de cocina móvil hace las funciones de mesa y armario al mismo tiempo. Y puesto que se puede mover a voluntad, y además se puede bloquear en cualquier posición, nunca estorba y siempre está disponible donde hace falta.

El bloque móvil que describimos a continuación tiene una altura de trabajo muy óptima de 86 cm. El cuerpo hace la función de armario con estanterías abiertas por tres lados, para colocar especias, aceite y vinagre, o para colgar sartenes y pequeñas ollas, y también ofrece espacio para las herramientas de cortar, colgadas muy a mano en un listón magnético. La superficie de la mesa alicatada es lo suficiente amplia para trabajar, y con el cuerpo entrante el bloque en su conjunto permite la libertad de movimiento de los pies.

②

③

MATERIALES

Tablero de madera estratificada de 19 mm (encimera), tablero de virutas de 19 mm (partes del cuerpo del armario), gres esmaltado (mosaico mediano de 5x5, grupo de abrasión IV), adhesivo de dos componentes, cola para madera, espátula para barniz, tornillos para tableros de virutas, listón para marco de 10x25 mm, 4 rollos para el mueble bloqueable para una altura de construcción de 60 mm, 4 bisagras, 2 bisagras para el sobre de la mesa, 2 botones para muebles, rollo de madera de 10 mm, barniz.

HERRAMIENTAS

GRADO DE DIFICULTAD

| 0 | 1 | 2 | 3 |

ESFUERZO FÍSICO

| 0 | 1 | 2 |

TIEMPO DE TRABAJO

En este montaje se invierten 20 horas aproximadamente.

AHORRO

Haciéndolo usted mismo puede ahorrarse unos 409 €.

❶ Debajo del sobre plegable de la mesa, el bloque de la cocina ofrece además mucho espacio para guardar cosas.

❷ El mueble es fácil de realizar, a partir de una construcción en caja de tablero de virutas de 19 mm, con laminado especial de imprimación. Las piezas son todas de corte rectangular y se pueden cortar a medida en el mismo punto de venta del material, o bien puede cortarlas usted mismo con la sierra circular.

❸ A continuación las piezas del cuerpo cortadas a medida se unen con cola para madera y se fijan con tornillos autotaladrantes para tableros. Es preciso vigilar que las cabezas de los tornillos queden lo suficientemente avellanadas para que luego se puedan recubrir con una capa de masilla.

También se deben repasar con la espátula de barniz y alisar con lija todos los cantos de corte de la construcción del cuerpo, para luego obtener un buen barnizado.

❹ Las puertas del mueble requieren bisagras sólidas. Las bisagras regulables cumplen las exigencias de esta-bilidad. Para montarlas, primero hay que taladrar en las puertas los orificios del tamaño correspondiente; lo mejor es emplear una broca de centrar. Para obtener los orificios exactamente rectangulares y perfectamente centrados se utiliza una bancada para taladrar o, mejor aún, una bancada para fresar con el taladro montado.

La profundidad necesaria para las bisagras se puede regular con precisión con el tope ajustable que sirve para tal fin. A continuación podemos colocar las bisagras en los orificios y atornillarlas antes de sujetarlas al cuerpo. Una vez acabado el montaje, se puede regular el asiento exacto de las puertas con los tornillos de ajuste de las bisagras.

Puesto que los muebles de cocina están muy solicitados, para el barnizado deberíamos utilizar una pintura muy robusta y resistente al rayado y la abrasión.

❺, ❻ A la hora de dar la primera mano de pintura al bloque móvil, es aconsejable emplear una mezcla del barniz que hayamos previsto para la capa final. De esta manera se consigue una primera capa de buena ad-

④

⑤

⑥

(7)

(8)

(9)

hesión y del mismo color que la capa final, lo que garantiza el buen acabado posterior.

7 El barnizado de dos colores que armoniza con los muebles de cocina resalta de manera muy atractiva el práctico bloque móvil. A la hora de aplicar la pintura, unas cintas adhesivas para marcar el final de un color ayudan a obtener un buen acabado.

Para el sobre de la mesa, el mejor material es un tablero de madera estratificada a prueba de torsión, aunque también se puede utilizar un tablero de virutas con laminado especial de imprimación.

En ambos casos, el sobre se rodea con un marco de listones pegado en toda la zona de unión, el cual excede el canto superior del tablero para adecuarse con el grosor de las baldosas que hayamos previsto para el alicatado de la superficie. El marco se ingletea en las esquinas. Con éste, no sólo mejorará la estabilidad del sobre, sino que también se obtendrá un acabado perfecto de la superficie alicatada.

8 Las baldosas se pegan siguiendo el procedimiento de capa delgada con adhesivo de dispersión o, mejor aún, adhesivo de dos componentes. En el ejemplo utilizamos un mosaico de gres esmaltado mate de 5x5 cm.

9 Para el llagueado utilizamos gris de juntas o, si deseamos mejorar el fácil mantenimiento y la insensibilidad de las juntas contra las manchas, un adhesivo para baldosas de dos componentes; no sólo se vende blanco y gris, sino también de colores.

Para revestir el sobre también se pueden utilizar las nuevas placas decorativas de resina acrílica. Debería comprar este material ya cortado a medida por el vendedor, puesto que para ello se requieren unas herramientas muy afiladas de metal duro. Estas placas que se venden en blanco, marmóreo o granulado, son adecuadas para encolarse, así que puede rodear sin problemas el sobre con un canto.

Estantería colgante con campana

①

②

③

④

A los cocineros profesionales les gusta colgar todo lo que necesitan para su trabajo en un bastidor situado sobre de la zona de cocción.

❶ Esta propuesta parte de esta idea y la combina con la campana extractora colocada sobre la cocina, la cual es cada vez más frecuente de encontrar en las cocinas no profesionales para evitar la propagación de los olores. Su construcción no es nada difícil. De material, es preferiblemente emplear un tablero de virutas con laminado especial de imprimación, que es fácil de pintar.

❷ Primero cortamos la placa base del material de 16 mm de grosor, en ángulo recto. Con la sierra de calar podemos elaborar también las entalladuras laterales y el hueco central de forma precisa y con el canto recto.

❸ Con el fin de albergar dos lámparas halógenas de baja tensión que iluminarán la zona de cocina sin llegar a deslumbrar, realice dos orificios perfectamente circulares en la placa base con una sierra de punta cuyo diámetro debe corresponderse con el de las lámparas.

MATERIALES

Tablero de virutas con laminado especial de imprimación de 16 mm, madera escuadra de 5x5 cm, tubo de cobre 10 mm, casquillo de latón PA4/M6, espigas de haya estriadas de 8mm, cola para madera, 2 lámparas halógenas con transformador e interruptor de cordón, 1 campana para empotrar, tornillos para tableros de virutas, 4 tacos de plástico con sus correspondientes tornillos, 4 pernos roscados M6 de 60 mm de largo, 4 tuercas de sombrerete M6, 4 tornillos de rosca M6x15, 4 arandelas, barniz de dispersión.

HERRAMIENTAS

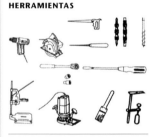

GRADO DE DIFICULTAD

| 0 | 1 | 2 | 3 |

ESFUERZO FÍSICO

| 0 | 1 | 2 |

TIEMPO DE TRABAJO

Para construir y montar la estantería colgante necesitará 20 horas aproximadamente.

AHORRO

Haciéndolo usted mismo puede ahorrarse entre 409 y 512 €.

Para unir las respectivas piezas de esta práctica estantería, utilizamos espigas de haya estriadas y cola hidráulica para madera.

Los taladrados que deben coincidir perfectamente al enclavijar de manera ciega, se consiguen con una plantilla improvisada en forma de listón que lleva los orificios a realizar.

❹ Para poder taladrar de forma perfectamente vertical resulta de gran ayuda disponer de una bancada de columna.

Una vez se han cortado y taladrado todas las piezas, conviene hacer una prueba de montaje antes de encajarlas definitivamente poniendo cola en las espigas y zonas de unión. Golpee una de las piezas con el martillo hasta que quede completamente encajada. Para ello debería utilizar siempre una madera a modo de protección.

❺ Una vez se ha montado y encajado el mueble, las piezas encoladas se fijan con unas prensas, utilizando maderas que reparten la presión, y se deja reposar el mueble hasta que la cola haya fraguado.

Para colgar espumaderas, cucharas y coladores resul-

tan muy útiles dos tubos de cobre de 10 mm de grosor que se han llenado previamente de arena y cuyos extremos se han cerrado con tapones de madera, para que al doblarlos no queden aplastados.

Para obtener un codo de exactamente 90º utilizamos un palo de madera o un tubo de acero del grosor necesario para poder doblar el tubo de cobre lleno de arena. Después deberá cortar los tubos a la medida necesaria.

❻ Para fijar los dos estribos de cada tubo en el mueble se introducen los casquillos de latón PA4/M6 en los extremos del tubo, un poco ampliados previamente con un escariador.

❼ A continuación se introducen los extremos de los tubos en los orificios de montaje de 10 mm en la placa de base, que hemos taladrado y ligeramente avellanado hasta quedar a ras con el canto superior, y luego se fijan desde arriba con un tornillo M6 apropiado con arandela. Ya que la posición resulta un poco difícil para atornillar, es muy útil tener un destornillador extralargo o un juego de llaves de trinquete

⑤

⑥

⑦

(8)

(9)

(10)

(11)

perior de las maderas, afianzará finalmente la unión entre las armellas ancladas al techo y las maderas de las que cuelga la estantería. El excedente de tornillo se puede serrar, una vez el montaje acabado, a ras con la tuerca; el canto se desbarba pasando la lima. En lugar de tuercas normales también podemos utilizar tuercas de sombrerete que resultan más decorativas.

Finalmente, la campana se introduce en el cuerpo de la estantería colgante; ahora el técnico ya puede conectarla. Para el suministro eléctrico de las dos lámparas halógenas también habrá que montar y conectar un dispositivo transformador en el interior de la estantería colgante. Un sencillo interruptor de cordón sirve para encender y apagar la luz.

⓫ Puesto que la estantería colgante se encuentra en la zona donde se generan vahos de cocina y vapores de cocción, deberíamos elegir una pintura resistente. Resultan aconsejables las lacas a base de acrilato que contienen agua y son respetuosas con el medio ambiente, y preferiblemente de acabado brillante.

con las correspondientes puntas para atornillar.

❽ Para colgar la construcción en el techo de la cocina se utilizan maderas cuadradas de 5x5 cm que se pegan y atornillan a la tarima de la estantería. Para que la fijación en el techo de la cocina no sea visible fresaremos una ranura de unos 4 cm de profundidad

en la parte superior de la madera.

❾ En estas ranuras se introducirán posteriormente los tornillos taladrados anclados al techo de la cocina; se pueden comprar en las tiendas especializadas.

❿ Un tornillo roscado M6, introducido por un orificio transversal en la zona su-

Una cocina a base de módulos

(1)

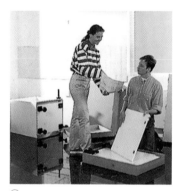

(2)

(3)

Si desea una cocina con un diseño personalizado y no dispone de una economía boyante para permitírselo, no es necesario que por ello renuncie a su sueño.

Desde hace tiempo, tanto el comercio como la industria han descubierto a ese grupo de compradores que por un lado buscan una buena calidad y una planificación personalizada y que, por el otro, exigen una buena relación calidad-precio. Para esta clase de personas se han desarrollado la llamadas cocinas a base de módulos, las cuales se planifican en función de la superficie disponible y las necesidades individuales del cliente.

Un gran fabricante de cocinas cuya gama de productos va desde una económica cocina compacta hasta una cocina de lujo, nos ofrece la «cocina en paquetes». Respecto a la calidad del material y el acabado, esta línea de productos se corresponde con los muebles listos para su colocación, y además ofrece una amplia posibilidad de variaciones de decoración y equipamiento. Este programa se basa en las dimensiones estándar, por lo que permite un equipamiento profesional de la cocina a un precio económico.

MATERIALES

Juego de montaje para cocina, para armarios de base y de pared.

HERRAMIENTAS

GRADO DE DIFICULTAD

0   1   2   3

ESFUERZO FÍSICO

0   1   2

TIEMPO DE TRABAJO

Para construir una cocina mediana necesitará 20 horas aproximadamente.

AHORRO

Haciéndolo usted mismo puede ahorrarse aproximadamente 769 €.

Pero el verdadero ahorro tiene lugar si montamos nosotros mismos los cuerpos de los muebles; así obtendremos una buena calidad a un precio razonable. Respecto a las herramientas necesarias, será suficiente con un equipamiento corriente de bricolaje.

❶ El primer paso, como en cualquier reforma de cocina, es el plano a escala en el que dibujará su proyecto personal de cocina. La abundante información que proporciona el fabricante, facilita la composición de la cocina y permite aprovechar bien el espacio disponible.

Si lo que desea es comprobar su proyecto en la práctica, puede marcar la línea de los muebles en el suelo con cinta adhesiva y de paso controlar la buena distribución de la cocina, el fregadero, la nevera, el lavavajillas y la zona de trabajo. Vigile que los desplazamientos sean cortos.

❷ Los muebles de cocina encargados a medida le llegarán desmontados y empaquetados en cartones. Para su montaje sólo necesitará un martillo, un destornillador, unas prensas, el nivel de burbuja, la sierra de calar y el taladro.

❸ Aquí estamos montando y pegando un cuerpo a partir de sus piezas sueltas, las cuales ya van provistas de espigas.

❹ La línea de la cocina va creciendo a lo largo del muro. Al unir los cuerpos, una prensa mantiene los dos laterales contiguos en la posición del montaje.

❺ El corte de la encimera requiere precisión. Ésta no sólo tendrá que ajustarse exactamente cerrando todas las juntas, sino que también tendrá que ir provista de los huecos para el fregadero y la cocina. Para ello, es muy útil disponer de una hoja de sierra de corte fino de metal duro bien afilada para la sierra de calar.

❻ Antes de montar la encimera tendrá que ajustar el nivel de los cuerpos con los pies regulables de los muebles, ayudándose del nivel de burbuja.

❼ En el siguiente paso podrá atornillar la encimera desde abajo a los cuerpos. A la hora de taladrar, siempre debería utilizar un tope de profundidad para no atravesar la encimera por error.

④

⑤

⑥

(7)

(8)

❽ Una vez la encimera esté bien sujeta puede introducir los cajones.

❾, **❿** Cuando hayamos montado los armarios de base empezamos con los armarios de pared. Tendrán una sujeción segura y podrán ser regulados en los listones de montaje fijados con tacos en la pared. Colocándolos a alturas escalonadas darán más vivacidad a la cocina.

(9)

(10)

⓫ Para lograr un acabado perfecto del suelo, tenemos un listón de zócalo que se monta simplemente grapándolo encima de los pies ajustables de los cuerpos.

⓬ Un perfil elástico proporciona una unión perfecta tanto a nivel visual como funcional entre los armarios de base y la pared alicatada.

La cocina, una vez acabada, ya no delata su procedencia «en paquetes». Este sistema rico en posibilidades, unido al hecho de que el montaje pueda realizarlo uno mismo, nos da la posibilidad de obtener «mucha cocina» a un precio económico. Es un buen motivo para brindar a la hora de la inauguración.

(11)

(12)

Cocina joven de montaje propio, diseñada por ordenador

(1)

(2)

(3)

No todas las personas que son manitas también saben hacer una buena planificación; algunas prefieren recurrir a la ayuda de un profesional.

Este tipo de servicio que consiste en hacer la planificación personalizada de una cocina por ordenador, se ofrece en las grandes tiendas de muebles. Se realiza desde el primer croquis, pasando por la planificación en pantalla, hasta el montaje y la colocación de la cocina.

En este ejemplo se plantea una cocina abierta, es decir, una cocina que forme parte del espacio para vivir. Como muestra el plano, los muros de la vivienda no siguen un curso recto normal, así que se trata de mostrar cierto talento para la improvisación. Para lograr la separación entre la cocina y el espacio para vivir se ha optado por una disposición de los muebles en forma de L, que termina con un ángulo corto hacia la estancia.

El camino desde el croquis hasta el diseño definitivo de los muebles pasa primero por una gran casa de muebles que ofrece el servicio de planificación por ordenador. En la pantalla podrá comparar varias ideas y cambiarlas hasta

MATERIALES

Juego de montaje para cocina, para armarios de base y de pared.

HERRAMIENTAS

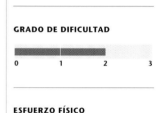

GRADO DE DIFICULTAD

| 0 | 1 | 2 | 3 |

ESFUERZO FÍSICO

| 0 | 1 | 2 |

TIEMPO DE TRABAJO

Para montar esta cocina necesitará 20 horas aproximadamente.

AHORRO

Haciéndolo usted mismo puede ahorrarse aproximadamente 120 €.

encontrar la combinación que más le guste e imprimirla. El acotamiento exacto y una vista alzada del conjunto a escala le aseguran que sus deseos respecto a las medidas de los cuerpos, los colores y el acabado coincidan en la práctica; ahora ya puede imprimir la lista de piezas que necesitará.

❶ El montaje de la cocina se realiza fácilmente. Una técnica de unión bien planteada asegura el asentamiento perfecto de todas las piezas. Para unir las partes de los cuerpos se utilizan pitones roscados de excéntrica que se introducen atornillándolos en cada uno de los laterales del cuerpo.

❷ En el suelo y los travesaños superiores, coloque las espigas en los cantos e introduzca las piezas excéntricas en los orificios correspondientes.

Al unir las piezas del cuerpo, el pitón roscado encaja en el orificio lateral de su correspondiente pieza antagonista y al introducir el tornillo se verá rodeado de ésta.

❸ Al girar el tornillo, el pitón de excéntrica se tensa

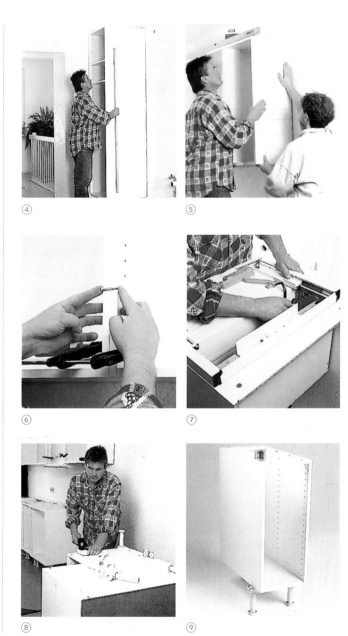

④

⑤

⑥

⑦

⑧

⑨

(10)

(11)

contra el tornillo, por lo que ambas piezas se acercan hasta que la junta de montaje queda cerrada y el tornillo ya no puede girar más.

❹ De esta manera se van montando los cuerpos y finalmente se coloca el primer armario con pies y pared de fondo, utilizando el nivel de burbuja para obtener la correcta alineación vertical.

(12)

(13)

❺ El canto superior será la línea de referencia para el montaje de los armarios de pared.

❻ Para que la línea de cocina quede perfectamente montada y sea duradera, atornille los cuerpos contiguos entre sí con tornillos roscados y casquillos de tuerca. En las partes delantera y trasera, coloque dos elementos de unión en los orificios ampliados entre la fila de los taladrados previstos para recibir los apoyos de las baldas, y luego atorníllelos.

(14)

(15)

❼ La campana queda oculta en uno de los cuerpos; para ello tendrá que serrar un orificio a medida en la parte delantera del suelo del armario.

8 El zócalo puede acabarse a ras o bien ser entrante, siempre teniendo en cuenta los requerimientos de los electrodomésticos que haya elegido (lavavajillas, nevera, cocina).

9 Normalmente hay cuatro pies para soportar un armario de base, pero puede apañárselas con menos si éstos se sitúan y atornillan exactamente debajo de la junta de unión de dos cuerpos contiguos.

10 Los pies, ajustables al milímetro gracias a los casquillos roscados que sirven para compensar las desigualdades del suelo, proporcionan una buena estabilidad.

11 Una vez se ha montado la fila de los armarios de base tenemos que ajustar la encimera y efectuar los huecos necesarios para albergar el fregadero, la cocina y las ranuras de ventilación para la nevera.

12 La conexión de la cocina eléctrica es cosa del técnico. ¡No toque la instalación eléctrica!

13 A continuación puede atornillar la encimera. Debe quedar bien apoyada a la superficie, y en las esquinas ingleteadas debe poderse unir a un mismo nivel. Las espigas planas y un poco de cola de madera proporcionan una unión duradera.

14 Puesto que el horno empotrado no tiene la misma altura que los armarios de base habrá que tapar el hueco sobrante con un embellecedor. Éste se fija con dos grapas que se sujetan en sendos soportes para baldas. Si integra el horno en un armario de pared se ahorrará tener que agacharse al meter o sacar el pastel del horno.

15 El listón del zócalo se grapa con bridas flexibles de plástico a los pies de los armarios.

16 La puerta de la nevera está unida a la puerta sobrepuesta de madera con un mecanismo; dos arrastres atornillados en el lado interior de la puerta frontal del mueble proporcionan una apertura y un cierre sincronizados de ambas puertas.

17 Esta cocina, además de puertas de acabado de abedul, también tiene puertas de cristal con un decorativo marco de color. Al igual que las demás, se sujeta con bisagras.

(16)

(17)

Índice alfabético